D1408085

Les gens qui ont aidé l'humanité

2

Illustrations

Bridgeman Art Library: 8-9, 50-51; Musée Picardie, Amiens: 19; Musée national de Capodimonte, Naples: 18; Victoria & Albert Museum: 4, 27; Chevojon Frères: 44; Exley Photographic Library: 21, Nick Birch: première de couverture, 10, 12, 16 (en bas), 29, 30, 35, 37, 42, 43, 47, 55, 57; Fine Art Photographic Library: 16 (en haut), 22, 46; Giraudon: 22, 52; Alan Hutchinson Library: Maurice Harvey 58 (à gauche), Juliet Highet 58 (à droite); Rex Features Ltd: 38, 59 (en haut); Ann Ronan Picture Library: 14, 15, 24, 25, 48, 56 (en haut); Roger-Viollet: 28, 56 (en haut); Royal National Institute for the Blind: 6, 7, 33, 41; Science Photo Library: Eunice Harris 59 (en bas).

L'Étincelle est une collection de SCE et de SCE-France

Directeur de collection: Robert Davies

Directrice artistique: Madeleine Hébert

Traduit par William Olivier Desmond

DIFFUSION

Canada: **Médialiv**
539, boul. Lebeau
St-Laurent, Québec H4N 1S2
Tél. [514] 336-3941

France: **SCE-France**
70, avenue Émile Zola
75015 Paris
Tél. 45.75.71.27

Belgique: **Presses de Belgique**
96, rue Gray
1040 Bruxelles
Tél. [2] 640-5881

Suisse: **Diffulivre**
41, Jordils
1025 St-Sulpice
Tél. [21] 691-5331

La maquette de couverture ce livre a été réalisée avec le logiciel Xerox Ventura Publisher et des polices de caractères Bitstream® Fontware ™ sur imprimante au laser. Diffusion Bitstream en France: ISE CEGOS, Tour Amboise, 7e étage, 204 Rond-Point Pont de Sèvres, 92516 Boulogne.

1994   1993   1992   1991   1990   1   2   3   4   5   6   7

LOUIS BRAILLE

L'inventeur du langage qui permit aux aveugles de lire

par Beverley Birch

l'Étincelle
Montréal-Paris

La quête opiniâtre d'un jeune aveugle

Dans le calme et l'obscurité de la nuit, on n'entendait que la respiration régulière et paisible des garçons endormis; de temps en temps, un sommier métallique grinçait sous le poids de l'un d'eux qui se retournait entre les draps. En tendant bien l'oreille, on percevait toutefois un bruit de coups étouffés.

L'un des garçons ne dormait pas. Assis sur son lit, enroulé dans ses couvertures pour lutter contre le froid humide qui régnait, il était penché sur un objet posé en travers de ses genoux. Une petite planche, couverte de papier, sur laquelle il exerçait de brefs mouvements de pression.

Travailler dans l'obscurité ne le gênait nullement. Car lumière ou ténèbres, cela ne faisait aucune différence pour lui. Il ne voyait ni la faible lueur qui passait par les fenêtres, ni les autres lits, ni la planchette fermement maintenue sur ses genoux et au-dessus de laquelle voltigeait sa main.

Ce garçon était aveugle. Aveugle depuis aussi longtemps que remontaient ses souvenirs. Ses compagnons de dortoir, tout autour de lui, dans leur étroite couchette, partageaient son sort. Mais pendant que ceux-ci dormaient, lui poursuivait son labeur, presque mort de fatigue, et il resterait de longues heures ainsi avant de s'accorder un peu de repos. Car il n'avait pas fini, et il n'y avait pas assez d'heures dans la journée pour venir à bout de la tâche qu'il s'était assigné. Il continuait donc de donner des petits coups réguliers avec l'instrument pointu qu'il tenait à la main, contre la planchette et le papier, attentif seulement au bruit étouffé qu'il produisait à chaque fois.

Ce n'était pas la première fois que Louis Braille, alors âgé de quatorze ans, passait plusieurs heures de la nuit courbé sur sa planchette... et si cela ne suffisait pas, il se réveillait avant les autres pour poursuivre son ouvrage avant le lever du jour, avant que les leçons ne viennent dévorer son temps libre.

Cela faisait des mois qu'il s'était attelé à cette tâche. Il avait même continué de la poursuivre chez lui, pendant les vacances, et était resté assis sur les marches ensoleillées de la ferme paternelle, pendant les lon-

C'est dans les années 1822-1825 qu'eut lieu à Paris, dans un quartier malsain, sombre et humide, semblable à celui que l'on voit ici, une invention capitale. Un jeune garçon de treize ans, aveugle depuis l'âge de trois ans et placé dans une école pour aveugles, chercha opiniâtrement — et trouva — un moyen efficace, rapide et sûr de lire et écrire pour ceux qui, comme lui, étaient privés de la vue. Il s'appelait Louis Braille, et a donné son nom à l'alphabet international qu'utilisent actuellement les aveugles partout dans le monde.

A	B	C	D
•	•	• •	• •
	•		•
E	F	G	H
•	• •	• •	•
•	•	• •	• •
I	J	K	L
•	•	•	•
•	• •	•	•
		•	•
M	N	O	P
• •	• •	•	• •
•	•	• •	•
•	•	•	•
Q	R	S	T
• •	• •	•	• •
•	•	•	•
•	•	•	•
U	V	W	X
•	•	•	• •
•	•	•	•
• •	• •	• •	• •
Y	Z		
• •	•		
•	•		
• •	• •		
and	for	of	the
• •	•	•	•
•	• •	• •	•
• •	• •	• •	• •

L'alphabet de Louis Braille: aveugle lui-même, Louis comprenait mieux qu'une personne dotée de la vue tout le parti qu'un aveugle pouvait tirer du sens du toucher. Son alphabet utilise six points en relief, ce qui permet de les sentir au toucher. En combinant ces six points, il a pu écrire toutes les lettres de l'alphabet, les accents, la ponctuation et les signes mathématiques. Ce regroupement de points convenait parfaitement au contact de l'extrémité d'un doigt; le lecteur de braille le reconnaît comme un lecteur ordinaire une lettre.

gues journées de l'été, tandis que sa famille secouait la tête avec un sourire et que les villageois qui passaient disaient: «Ah, voilà le jeune Louis qui fait encore ses picotages!»

Car pour tous ceux qui le connaissaient, Louis s'amusait simplement à faire des trous d'aiguille dans du papier. On considérait son obsession avec amusement et affection, mais on ne la prenait absolument pas au sérieux. Au fond, il ne fait rien de mal et ça l'occupe, concluait-on.

Ces insignifiants trous d'aiguille, cependant, étaient destinés à devenir l'alphabet international des aveugles, la clé qui leur ouvrirait les portes de la lecture, c'est-à-dire aussi du savoir, de la culture, partout dans le monde. Une fois ouverte, cette porte ne pourrait jamais plus être condamnée pour les aveugles; plus jamais se retrouveraient-ils enfermés dans la nuit de leur cécité, rendue mille fois plus dure à vivre du fait de leur ignorance forcée.

Dans soixante ans, les trous d'aiguille du jeune garçon de quatorze ans seraient reconnus comme l'un des plus grands dons qu'un homme ait jamais fait aux autres hommes.

Un enfant qui savait ce qu'il voulait

Dans son dortoir humide, en cette nuit de 1823, le jeune Louis Braille ne se doutait guère de la valeur et de l'amplitude qu'allait acquérir son invention. Il ne savait qu'une chose: qu'il devait absolument trouver un moyen pour permettre à tous les aveugles, comme lui et ses jeunes camarades, de lire facilement les livres et d'écrire — aussi facilement que les personnes voyantes. Afin que les aveugles puissent accéder aux connaissances de l'humanité et en partager la culture avec tous, l'enrichissant de leur apport.

Et il était habité de la certitude que ce moyen, il le trouverait. Une conviction née de son désir passionné d'apprendre, de sa jeunesse et de son énergie, une énergie qui ne le laisserait jamais s'abandonner au découragement, et de l'espoir qu'à la tragédie de la cécité ne devait pas s'ajouter inévitablement la misère d'une vie passée dans l'ignorance, à dépendre en tout des autres, coupé de toute vie sociale par des milliers de barrières.

Il devait y avoir un moyen. Louis en était sûr. Et il n'aurait de cesse de l'avoir trouvé.

Le fils du sellier de Coupvray

Louis Braille n'était pas aveugle de naissance. Il avait joui d'une vue normale pendant les trois premières années de sa vie, et la maison familiale retentissait du joyeux tapage de cet enfant plein de curiosité, toujours lancé dans quelque entreprise d'exploration. Il amusait beaucoup ses frère et soeurs: Catherine-Joséphine, dix-neuf ans, Louis-Simon, qui, à dix-sept ans, était déjà presque un homme et Marie-Céline, quatorze ans. Tout le monde adorait le petit Louis, son énergie inépuisable, son infatigable curiosité, ses

joyeux bavardages, ses questions incessantes.

Le jeune Louis était aussi une source de grand bonheur pour ses parents, qui l'avaient eu tard dans leur vie: Monique, sa mère, avait quarante et un ans, et son père, Simon-René, quarante-quatre à sa naissance. Et lors de cette naissance, Simon-René avait fièrement déclaré que le garçon serait le soutien et le compagnon de sa vieillesse.

Enfance campagnarde

Louis Braille naquit le 4 janvier 1809 à Coupvray, un village situé à une quarantaine de kilomètres à l'est

de Paris, en bordure des grandes plaines à blé de la Brie. Nichée sur les pentes douces des collines qui dominent la vallée de la Marne, Coupvray était une bourgade rurale animée. On y trouvait un tailleur, un cordier, un tisserand, un forgeron, un médecin, un apothicaire et une sage-femme. Mais sa population était essentiellement composée de paysans et de vignerons, ainsi que d'artisans dont le savoir-faire était vital pour l'agriculture; outre le forgeron, on trouvait en effet un charron ainsi qu'un bourrelier-sellier en la personne de Simon-René Braille, le père de Louis. En ces temps de traction animale, les talents d'un bon sellier étaient fort recherchés; le père de René-Simon avait exercé ce mé-

tier, et René-Simon espérait que ses deux fils reprendraient un jour le flambeau.

La famille menait une vie simple et bien remplie, entre la ferme et l'atelier de sellerie; car René-Simon possédait sept arpents et demi de terres et de vignobles, sans parler d'un poulailler et d'une vache. Le travail ne manquait donc pas, et l'apport alimentaire de la ferme était loin d'être négligeable. Ils n'étaient pas riches mais ne manquaient de rien d'essentiel, non plus que de bons amis dans cette communauté industrieuse aux liens étroits. Le jour du marché hebdomadaire, la population des villages avoisinants se rendait à Coupvray, où se tenaient aussi quatre foires par an, avec la fête des vendanges comme moment fort de l'année.

La maison familiale, une solide bâtisse de pierres aux vitres sombres cernées de plomb et aux massives portes de chêne, se trouvait Chemin des Buttes, une route qui, depuis, a bien entendu pris le nom de Louis-Braille. Là, le jeune Louis suivait sa mère en trottinant, sans cesser de l'importuner de son bavardage ou de ses questions, ou bien, lorsqu'il en avait assez, il rendait visite à son père dont l'atelier se trouvait de l'autre côté de la cour.

Quel endroit fascinant que cet atelier! Il était plein de brides, de rênes, de longes et dégageait une puissante odeur de cuirs huilés; dans les angles, se dressaient les formes en bois coniques sur lesquelles on montait les colliers des chevaux. Au milieu de tout cela, trônait le lourd établi sur lequel se penchait son père pour tailler et préparer les peaux. Il y avait aussi tout un assortiment d'outils brillants, couteaux pour couper le cuir, poinçons pour y pratiquer des trous, des outils aussi polis et affûtés que des rasoirs.

Plongée dans les ténèbres

Il n'existe aucun témoignage écrit direct sur l'accident qui rendit Louis aveugle. On ne sait pas non plus exactement quand il eut lieu, en cette année 1812. Les détails de l'histoire ont été reconstitués à partir des souvenirs de différentes personnes, et nous devons imaginer le reste. Il n'est cependant pas difficile de se représenter ce petit bonhomme de trois ans, vif et plein de curiosité, avide d'imiter les gestes qu'il voyait quotidiennement faire à son père, monter sur le haut établi

Page ci-contre: nous ne savons pas exactement comment Louis Braille a perdu la vue, ni quel outil lui a crevé l'oeil. Un couteau de sellier, disent les uns, une alène, disent les autres. Louis se souvenait simplement que c'était un instrument pointu. Cette peinture de Harford, qui montre l'enfant grimpant sur l'établi de son père, se trouve à l'heure actuelle dans l'atelier de la maison des Braille, à Coupvray, transformée en musée.

Ci-dessus: un coin de l'atelier, avec ses outils, de Simon-René Braille, le père de Louis Braille. C'est à cet endroit que Louis perdit la vue.

Ci-contre: l'escalier de la cave, dans la maison familiale des Braille. Lorsqu'il devint aveugle à trois ans, Louis était un petit garçon confiant dans le monde qui l'entourait. Après l'accident, il perdit tout ce qui lui était familier, car il ne pouvait utiliser son sens visuel pour s'orienter. Il ne distinguait plus le jour de la nuit et tout se noyait dans une confusion de bruits et d'odeurs qu'il ne reconnaissait plus. Il dut tout réapprendre, et notamment à se diriger aux odeurs, aux échos, au goût et au contact. Avec le temps, il ne garda aucun souvenir des couleurs.

de bois, à un moment où René-Simon ne se trouvait pas dans l'atelier mais dans la cour, discutant avec un fermier venu lui apporter de l'ouvrage.

Pas difficile non plus d'imaginer l'enfant s'emparant d'un morceau de cuir et d'un couteau, et s'efforçant de reproduire les mouvements de son père. Dans les mains maladroites de l'enfant, l'instrument se transforma en un outil de destruction. On sait qu'il y eut un cri dans l'atelier, les sanglots d'un petit enfant que l'on retrouva le visage ensanglanté. Mal tenu, le couteau avait sans doute dérapé et était venu se ficher dans l'un des yeux.

Pris de panique, ses parents firent tout ce qu'ils purent, baignant l'oeil crevé dans l'eau fraîche et posant un pansement dessus, amélioré un peu plus tard par l'adjonction d'un emplâtre à base de nénuphars, selon les indications d'une vieille femme du village qui passait pour connaître les propriétés curatives des plantes.

«*A cette époque, on traitait les aveugles comme un fardeau inutile, exactement comme on traitait les fous. Leurs parents leur en voulaient souvent de leur existence et ne les gardaient qu'à contrecoeur. Beaucoup de parents pauvres envoyaient leurs enfants dans des ateliers, ou les vendaient comme monstres de foire, quand, pis encore, il ne les jetaient pas dans la rue, les laissant se débrouiller tout seuls.*»

Norman Wymer,
The Inventors

Une cécité permanente

Louis cessa de pleurer, le sang arrêta de couler et on alla aussitôt consulter le médecin local. Mais à cette époque, les médecins ne connaissaient pas encore les mécanismes de l'infection et il faudrait attendre la deuxième moitié du siècle et les travaux de Louis Pasteur pour comprendre le rôle des microbes et la manière dont ils sont véhiculés — par les mains mal lavées, les bandages douteux et l'air. Et il faudrait attendre encore un demi-siècle avant que Alexander Fleming ne découvre la pénicilline, le premier antibiotique capable de guérir les infections en tuant les germes dangereux.

Impuissants, le médecin et la famille virent l'oeil de Louis devenir rouge et boursouflé, et ses paupières gonflées et tuméfiées. L'infection ne tarda pas à gagner l'autre oeil. Autour de l'enfant, les objets s'estompèrent comme s'il les voyait dans un brouillard de plus en plus épais.

On peut l'imaginer devenant plus maladroit, plus prudent dans ses mouvements. La famille s'habitua peu à peu à le voir se cogner partout dans le mobilier, manquer une marche, ou renverser son assiette sur la table en voulant l'attraper. Tels étaient les symptômes des ténèbres qui, peu à peu, étaient descendues sur

Louis; à cinq ans, il était complètement et définitivement aveugle.

Il semble qu'on ait conduit le petit garçon chez un oculiste de la ville voisine, Meaux, mais on ne pouvait plus rien faire pour le jeune Louis Braille. Jamais il ne recouvrerait la vue, ni d'un oeil, ni de l'autre.

Pour les parents de Louis, un enfant aveugle était une catastrophe. Comment gagnerait-il sa vie? Et après leur mort, qui s'occuperait de lui? La plupart des aveugles dépendaient de la charité des autres, car ils n'avaient aucun moyen d'existence. Beaucoup mendiaient dans les rues. Quelques-uns gagnaient de maigres ressources en faisant de la musique, comme ici.

Louis s'adapte

Sans doute, Louis dut-il changer peu à peu; les enfants voyants, en effet, apprennent à imiter ceux qui les entourent en les observant dans leurs gestes quotidiens. Mais ces souvenirs se sont peu à peu perdus pour Louis; son visage devint moins mobile et il prit l'habitude de garder la tête inclinée en avant et légèrement sur le côté, attitude qu'il conserva toute sa vie.

Tout son être était maintenant mobilisé à apprendre à survivre sans la vue, à remplacer sa vue par ses autres sens. Il commença par reconnaître le bruit des

pas sur des surfaces différentes, l'écho variable de sa voix sur les murs, les portes et le mobilier; il se familiarisa avec les bruits qui venaient de la rue, à l'extérieur, le grondement des charrettes, le tintement des harnais portés par son père, les murmures ou les voix des gens, l'aboiement des chiens, remplissant son univers de sons et de sensations tactiles pour pallier ce qu'il ne pouvait plus voir.

Nous pouvons imaginer, dans cette famille laborieuse, qu'on trouva des tâches à confier au jeune Louis, lorsqu'on se rendit compte de sa stupéfiante habileté à reconnaître les choses seulement au toucher, comme si ses doigts remplaçaient déjà ses yeux. Il se montra ainsi rapidement capable de trier les cuirs de son père selon leur forme et leur épaisseur, puis, plus tard, de fabriquer des franges de harnais. Il savait aussi ranger les légumes et les oeufs dans les paniers pour sa mère et ses soeurs avant leur départ au marché hebdomadaire du village.

Louis oublia peu à peu ce que c'était que de voir; il devint un peu plus aventureux dans le monde de ténèbres où il demeurait maintenant, capable de dire quel chien avait aboyé, quelle charrette venait de s'arrêter devant l'atelier de son père, ou qui lui avait lancé un joyeux bonjour. Il ne se cognait plus aux meubles de la maison, qu'il identifiait au son et au toucher.

Un pays occupé

Ce mode de vie monotone ne devait pas durer longtemps à Coupvray. Au début de 1814, la nouvelle courut partout en France que les armées de Napoléon venaient d'être écrasées par les forces coalisées autrichiennes, russes et prussiennes, et qu'elles battaient en retraite, dans le plus grand désordre, vers Paris, la capitale.

Les annales officielles de Coupvray ont gardé la trace de la retraite de Napoléon et de l'avance des armées ennemies en France; le 2 janvier, ordre fut donné à la commune de procurer 275 boisseaux d'avoine aux troupes de l'empereur; le 23 janvier, nouvelle demande de 132 boisseaux supplémentaires; le 28 janvier, Coupvray dut fournir 1200 ballots de foin et huit vaches; le 8 février, le boulanger dut fabriquer 706 pains pour l'armée et le 20 février, l'armée napoléo-

Le mieux que Louis Braille pouvait espérer, à son époque, était d'apprendre un métier manuel simple comme la vannerie. On voit ici un jeune aveugle fabriquer un panier. Louis faisait preuve de beaucoup de dextérité avec ses doigts et aidait son père à trier les peaux.

nienne s'empara de tous les chevaux du district, ainsi que de douze vaches.

En avril, ce fut l'abdication de l'empereur, et son remplacement sur le trône de France par le roi Louis XVIII. Mais cette restauration de l'ordre ancien s'accompagna d'une occupation et le 14 avril, les soldats des armées impériales russe et prussienne firent leur entrée dans Coupvray — entrée accompagnée d'une série d'exigences: de la nourriture, des chevaux, des vaches, du foin, de l'avoine et des chariots pour l'armée d'occupation.

Comme la plupart des maisons de Coupvray et de la région, le foyer des Braille se vit obligé d'héberger des soldats des armées ennemies. Dans la vie du jeune Louis, c'était de nouveaux pas et de nouvelles voix aux accents rudes à identifier, et l'atelier de son père ne désemplissait pas de soldats des escadrons de cavalerie venus faire réparer qui un harnais, qui une sangle. En outre, il y avait ces conversations entre les adultes, sérieuses, inquiètes, poursuivies à voix basse et qu'il ne comprenait pas très bien, et qui s'arrêtaient brusquement lorsqu'un Prussien approchait à portée d'oreille. Pas seulement des Prussiens: des Russes, des Bavarois, encore des Russes. Au cours des deux années d'occupation, les Braille durent héberger sous leur toit soixante-quatre soldats différents. Louis avait sept ans quand partit le dernier d'entre eux, pendant l'été de 1816. Les citoyens de Coupvray pouvaient maintenant reprendre le cours de leur vie normale, réparer les dégâts et recouvrer les pertes subies pendant cette douloureuse période.

Un ami

La sixième année de Louis, alors qu'il était aveugle depuis trois ans, marqua le début d'une nouvelle ère pour lui, avec l'arrivée à Coupvray d'un nouveau curé.

La première tâche de l'abbé Jacques Palluy consistait à rendre visite à ses paroissiens. Il ne tarda pas à faire la connaissance de Louis, et en quelques semaines, le prêtre et le petit aveugle avaient noué des relations amicales comme peuvent en avoir un adulte et un enfant. Dans le jardin du presbytère, quand il faisait beau, ou à l'intérieur par mauvais temps, l'abbé Palluy entreprit de donner des leçons orales au jeune Louis. Il lui racontait des histoires tirées de la Bible, lui apprenait à reconnaître les fleurs à leur parfum et au toucher, à identifier le cri des animaux, le chant des oiseaux. Il lui expliquait le cycle des saisons, l'alternance du jour et de la nuit.

Louis écoutait avec fascination et enthousiasme; le matin, il reconnaissait le chant de l'alouette et les odeurs de l'aube, et savait la venue du soir avant même que n'en tombe la fraîcheur.

Et tandis que se renforçait leur amitié, le prêtre éveilla aussi en Louis un profond sentiment religieux qui devait l'habiter toute sa vie.

Louis Braille entre à l'école

Louis venait d'atteindre l'âge scolaire. Mais il y avait à Coupvray un autre nouveau venu, un jeune maître d'école, dévoué et plein d'enthousiasme, Antoine Bécheret.

Page ci-contre, en haut: les années 1813-1815 furent dramatiques pour la France, alors que les autres nations d'Europe se battaient contre les armées de Napoléon. Battu à la bataille de Leipzig en octobre 1813, Napoléon se replia vers Paris tout en réquisitionnant des vivres, du foin, des animaux, etc. dans des villages comme Coupvray. Ce petit village n'échappa pas non plus à l'occupation par les armées étrangères après la défaite de Napoléon à Waterloo en 1815. (Ici, les soldats français battent en retraite lors de cette bataille.)

Page ci-contre, en bas: la campagne près de Coupvray. L'amitié de l'abbé Palluy constitua un tournant dans la vie de Louis Braille. Tous les jours, le curé amenait l'enfant dans la campagne environnante et l'initiait à la flore par le toucher et l'odorat. Fasciné et touché par la curiosité intellectuelle du jeune Braille, il fit tout son possible pour lui assurer un meilleur avenir qu'une vie de dépendance, limitée par le manque d'éducation.

Cette peinture de Breughel l'Ancien, la Parabole des aveugles conduisant d'autres aveugles, *illustre l'opinion que l'on avait autrefois d'eux, leur maladresse passant pour de la stupidité; on se moquait d'eux et on allait parfois jusqu'à faire preuve de cruauté envers ces malheureux. Durant l'enfance de Louis, la plupart des gens avaient une attitude inconsciente et même cruelle envers les aveugles. La démarche de l'abbé Palluy pour éduquer le jeune aveugle était d'autant plus méritoire qu'elle était exceptionnelle.*

A peine le nouvel instituteur était-il installé que l'abbé Palluy vint lui rendre visite pour lui parler de Louis Braille. Ne vous occupez pas des gens qui disent qu'il est inutile de donner le même enseignement à un aveugle qu'aux autres enfants! Peu importe qu'un aveugle ne puisse jamais apprendre à lire et à écrire! Un enfant comme le petit Louis, vif, intelligent, curieux de tout, devait certainement pouvoir tirer un bénéfice des leçons qu'il écouterait, et gagnerait certainement à être en classe avec les autres enfants du village!

Bécheret fut d'accord; néophyte dans sa profession, il n'avait pas d'idées préconçues sur l'inutilité d'enseigner les aveugles; il ne craignait pas non plus de s'attirer les foudres des autorités scolaires en faisant une place à un élève en qui elles verraient un candidat bien improbable pour quelque formation que ce soit.

C'est ainsi que Louis, tous les matins, partait pour l'école en compagnie d'un petit voisin. Assis au premier rang, près du maître dont il ne perdait pas un seul mot, Louis buvait ses leçons comme s'il était pris d'une soif de savoir inextinguible. Il avait l'air de comprendre

et de retenir instantanément tout ce qu'on lui disait; il paraissait ne jamais oublier ce qu'il avait entendu, presque comme si les événements de l'histoire et les faits géographiques lui ouvraient un monde imaginaire qui pour lui prenait la place du monde de la vue qu'il avait perdu.

Dès le début il fut à la tête de sa classe, et même à ce stade initial de sa formation, il refusa obstinément que sa cécité le condamne à une prison sans livres, à un monde où il ne pouvait pas communiquer par écrit, ni noter ses pensées et ses idées. Un ami des Braille se rappelle que le père de Louis, à l'aide de clous enfoncés dans une planche, lui avait dessiné les lettres de l'alphabet et que Louis avait appris à les reconnaître au toucher. Une autre histoire veut que son père ait découpé les lettres dans du cuir: les deux sont peut-être vraies.

Quel avenir pour Louis?

Mais les rêves que pouvait faire Louis dans sa tête étaient une chose; les perspectives qui s'offraient à lui

Ci-dessus: une école très semblable à celle que fréquentait Louis à Coupvray. On admettait rarement les petits aveugles en classe. Pourtant, Louis devint rapidement le premier de sa classe.

«Des aveugles sans domiciles rôdaient dans les rues de la plupart des grandes villes, et même des hommes et des femmes instruits semblaient trouver amusant de les voir tâtonner et se heurter aux bâtiments. On leur lançait des choses ou on les faisait trébucher, après quoi on éclatait de rire.»

Norman Wymer,
The Inventors

pour l'avenir étaient, quant à elles, une chose bien différente. Il n'y avait guère d'espoir pour les aveugles, à cette époque. Dans l'impossibilité d'étudier comme les personnes dotées de la vue, ils ne pouvaient apprendre aucun art, exercer aucun métier: comment gagner sa vie, dans ces conditions? La plupart des aveugles dépendaient étroitement des autres pour tous leurs besoins: ils avaient tout ce qu'il fallait s'ils appartenaient à une famille aisée et généreuse, rien ou presque dans une famille pauvre, quand ils n'étaient pas purement et simplement jetés à la porte. Beaucoup en étaient réduits à mendier dans les rues.

Et comme les aveugles étaient la plupart du temps maladroits et dépourvus de toute éducation, les personnes dotées de la vue interprétaient leur cécité comme de la stupidité et les traitaient en véritables parias, en arriérés, en bons à rien qu'il valait mieux placer à l'abri dans un asile.

Qu'allait-il donc advenir de Louis? Tant qu'il aurait des membres de sa famille pour s'occuper de lui, il ne manquerait ni d'amour, ni du vivre, du couvert et d'un toit... Mais il était en droit d'attendre davantage que cela de la vie! Le bon abbé Palluy était bien déterminé à n'épargner aucun effort pour engager Louis sur une voie plus prometteuse, et il commença à se renseigner auprès de toutes les personnes qu'il connaissait.

Une école spéciale à Paris

Plusieurs versions courent sur la façon dont la famille Braille entendit parler de l'école spéciale de Paris réservée aux aveugles, mais il semble probable que Bécheret, le jeune instituteur, en connaissait l'existence et que l'abbé Palluy, ainsi aiguillonné, se soit empressé d'en apprendre davantage.

Nous savons également que le prêtre fit une démarche auprès du seigneur qui habitait le château local, le marquis d'Orvilliers. Ce dernier était un noble qui avait à plusieurs reprises aidé des personnes du village dans le besoin, et l'abbé Palluy espérait beaucoup de sa compassion.

Il ne fut pas déçu. Le marquis avait remarqué le jeune Louis, lors des messes du dimanche, et il écouta avec intérêt le curé lorsque ce dernier plaida devant lui la cause de l'avenir du jeune garçon.

Il se trouvait que le marquis connaissait déjà l'existence de l'école des aveugles de Paris, et qu'il en avait même rencontré autrefois le fondateur, un certain Valentin Haüy.

Cela s'était passé à la cour de Versailles, avant la Révolution, pour les fêtes de Noël 1786. Valentin Haüy avait à cette occasion fort étonné le couple royal et la noblesse de la cour en leur présentant des enfants aveugles capables de lire et de résoudre des problèmes d'arithmétique. Très impressionné, le marquis s'était joint au roi et aux nombreuses autres personnes qui avaient donné des fonds à Valentin Haüy, dans le but de fonder une école pour les jeunes aveugles.

Sur les instances de l'abbé Palluy, le marquis écrivit donc aussitôt à cette école, en lui demandant de bien vouloir y admettre le jeune Louis Braille.

La réponse ne tarda pas à venir; le Dr Guillié, directeur de l'Institut royal des enfants aveugles de Paris, l'informait que le conseil d'administration acceptait de prendre Louis, et avait même prévu une bourse pour aider la famille à assumer les frais de scolarité.

Louis Braille était attendu sur place, rue Saint-Victor, le 15 février 1819, peu de temps après son dixième anniversaire.

Voyage à Paris

L'aube du jour tant attendu était brumeuse et froide. La diligence de Meaux devait prendre au passage le jeune garçon et son père pour leur faire parcourir les quarante kilomètres, alors tout de campagne, qui séparaient Coupvray de la capitale.

Il avait attendu ce jour avec impatience. Mais maintenant qu'il était arrivé, l'anxiété et la nervosité le jetaient dans un discours confus, reflétant ses espoirs et ses craintes. L'école serait-elle comme il l'imaginait? C'était si loin! Serait-il capable d'apprendre? Se ferait-il de nouveaux amis? Aurait-il des difficultés à se repérer?

Son père parlait aussi beaucoup, lui décrivant le paysage, au fur et à mesure qu'il défilait devant la fenêtre de la diligence. René-Simon était lui aussi très inquiet. Il cherchait à se rassurer en se disant que c'était pour le bien de son fils que cette décision avait été prise, mais lui aussi trouvait que Paris était bien loin de

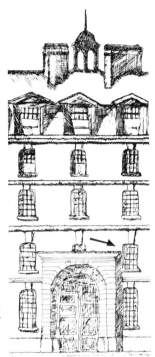

L'Institut royal des jeunes aveugles se trouvait dans un quartier humide et malsain de Paris. A son arrivée, Louis Braille dut souffrir beaucoup de la bousculade, du bruit et des odeurs nauséabondes qui montaient du ruisseau proche, ambiance si différente de celle de Coupvray.

En 1819, il fallait quatre heures, dans une diligence comme celle-ci, pour couvrir les quarante kilomètres qui séparaient Coupvray de Paris. Un siècle après la mort de Louis Braille, son corps refit le même trajet vers Paris, en grandes pompes et escorté de représentants de quarante pays, jusqu'à son lieu de sépulture au Panthéon, parmi les grands hommes et femmes de France.

Coupvray... Il était encore si jeune! Mais au moins pourrait-il apprendre un métier. L'école en enseignait plusieurs: cordonnier, vannier, fabricant de pantoufles, réparateur de chaises...

Mais laisser son jeune fils aveugle dans une ville aussi gigantesque! Même lui, qui était adulte et voyait clair, trouvait Paris étrange et effrayante, si vaste, si bruyante, pleine d'étrangers... si différente de la vie paisible de leur village.

Quatre longues heures s'écoulèrent à subir les secousses et les cahots du véhicule, à tourner et retourner les mêmes pensées inquiètes. La diligence atteignit les faubourgs de Paris, et le père et le fils descendirent. De là, ils devaient trouver leur chemin pour gagner à pied le Quartier latin, car c'était dans celui-ci que se trouvaient la rue Saint-Victor et le numéro 68, le bâtiment qui devait devenir le domicile de Louis Braille

pour le reste de ses jours — mais il ne s'en doutait guère à ce moment-là.

68 rue Saint-Victor

Elle n'avait rien de bien attrayant, cette bâtisse de la rue Saint-Victor: un rapport officiel de l'époque signale qu'elle est située dans une zone «en contre-bas», sans air, ou règne une puanteur permanente et «favorable à la propagation des maladies». Il faisait noir dans ce clapier humide aux marches usées, aux couloirs encombrés, et Simon-René dut ressentir quelque appréhension à l'idée d'y laisser son fils. Où était le bon air vivifiant de Coupvray? Et Louis, qui était habitué à l'air pur et à la vie saine de la campagne...

Mais l'entrevue avec le directeur, le Dr Guillié, le tranquillisa. On s'occuperait bien du garçon, et il pourrait apprendre énormément de choses, ici. Et dans peu de temps, il reviendrait pour les vacances. Et Louis, même si la nervosité le rendait moins assuré, n'en démordait pas: c'était bien ce qu'il voulait faire.

Après une brève embrassade et d'ultimes recommandations, Simon-René partit. Louis Braille se trouvait maintenant vraiment seul. Des étrangers qu'il ne pouvait voir l'entouraient, dans un bâtiment dont il ignorait tout, pour la première fois de sa vie.

Dans un milieu inconnu

On le conduisit directement en classe. Le directeur lui apprit que le nom de son professeur était Monsieur Dufau. Nerveux, Louis entra. Le bruit des chaussures frottant sur le sol lui apprit que la classe venait de se lever. Il y eut un autre bruit, tandis que les élèves se tournaient vers la porte, puis un ordre sec du Dr Guillié pour qu'ils retournent à leurs leçons.

Louis se sentit conduit par le maître jusqu'à un siège, et la leçon reprit sans autre forme de procès. Elle portait sur la géographie de la Seine. Au bout de quelques minutes, toute la nervosité et les inquiétudes de Louis s'étaient envolées. Plus rien ne comptait, que les mots du professeur: il les absorbait avec une attention fascinée, et à la fin de la leçon, à la grande stupéfaction de M. Dufau, il put répondre à toutes les questions sans la moindre hésitation.

«Il y avait soixante élèves que le maître traitait avec la plus grande sévérité, punissant les enfants à la moindre peccadille, soit en les privant de repas, soit en les condamnant à un isolement temporaire.»

Norman Wymer,
The Inventors

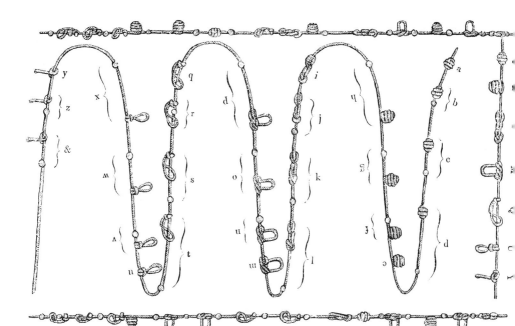

Une fois la classe terminée, cependant, l'impression d'étrangeté l'envahit de nouveau. Que signifiait ce tintement de cloche? Vers où se dirigeaient tous ces pieds qui marchaient? Le professeur le présenta aux autres élèves, et il essaya de se souvenir des noms et des voix qui allaient avec. Mais il était pris dans un tourbillon de nouvelles odeurs, de nouveaux sons, de nouveaux tintements de cloche, de bruits de pas qui semblaient savoir parfaitement où ils se dirigeaient, tandis qu'il restait debout où il se trouvait, confus et malheureux, jusqu'au moment où quelqu'un le prit par le bras.

Plus tard, après avoir rangé ses quelques affaires sous son lit, il y eut le silence du dortoir et la sensation de la présence des autres, ces étrangers qu'il ne voyait pas et qui se retournaient dans un lit de fer semblable au sien.

Nouveaux horizons

C'est dès le début de son séjour rue Saint-Victor qu'il se lia d'amitié avec Gabriel Gauthier, une amitié qui devait durer toute leur vie. Gauthier, qui avait un an de plus que Louis Braille, était à l'école depuis assez longtemps déjà. Il en connaissait tous les couloirs et tous les escaliers, ainsi que le détail de l'emploi du temps. Si bien que peu à peu, Louis apprit en sa compagnie à se déplacer d'une salle à l'autre, d'une leçon à l'autre, et du réfectoire au dortoir.

Il y eut aussi les lettres venues de Coupvray pour l'aider à tenir, au cours de ces premières semaines, lettres que lui lisait un des surveillants de l'école. L'aspect de nouveauté des choses s'estompa et ce territoire devint progressivement le sien; il arriva bientôt à retrouver son chemin seul, sachant, sans avoir à compter ses pas, à quelle distance il se trouvait de sa destination — la porte du réfectoire, le pied de son lit, le bas d'un escalier. Il apprit aussi à reconnaître les voix des maîtres et des autres élèves.

Mais par-dessus tout il y avait les leçons. Géographie, histoire, grammaire, arithmétique, il se plongeait avec enthousiasme dans toutes ces matières, confirmant les espoirs que l'abbé Palluy avait placés en lui. Les professeurs parlaient, et les élèves devaient répéter ce qu'ils avaient entendu. Et, merveille des merveilles, il existait même des livres spécialement préparés pour eux. Louis apprenait réellement à lire.

Les livres pour aveugles de Haüy

Valentin Haüy, le fondateur de l'école, avait mis au point un procédé pour imprimer les livres destinés aux aveugles. Un papier épais était estampé par de gros caractères spéciaux en plomb qui faisaient apparaître le texte en relief, et dont les lettres pouvaient ainsi être reconnues par le toucher.

L'école ne possédait que peu de ces livres, dont la fabrication était longue et difficile. Chaque lettre devait être mise en place individuellement, chaque feuille de papier humidifiée avant d'être pressée. Il fallait des semaines pour tirer plusieurs copies d'une seule page, et on comprend aisément pourquoi Valentin Haüy, en tant d'années, n'avait réussi à produire que quelques ouvrages.

Enormes, lourds, épais (chaque feuille étant collée au dos d'une autre, côté relief à l'extérieur), ces livres comprenaient des textes religieux et des manuels de grammaire de plusieurs langues, ensemble plutôt bizarre comme fonds de bibliothèque pour ces jeunes

Lecture par contact dans un livre aux caractères en relief, selon le principe de Valentin Haüy. Non seulement l'ouvrage était énorme, mais il contenait beaucoup moins de texte qu'un livre quatre fois plus petit, imprimé en écriture normale à l'encre.

«Les enfants aveugles ne pouvaient apprendre leurs leçons dans les livres. Quelques livres avaient bien été imprimés en grandes lettres en relief... mais comme chacune faisait trois millimètres d'épaisseur, elles prenaient tellement de place que l'enfant oubliait souvent le début d'une phrase avant d'en avoir atteint la fin du bout de ses doigts.»

Norman Wymer,
The Inventors

garçons, une soixantaine, élèves de l'Institut royal des enfants aveugles. Mais c'était tout de même des livres! Louis dut cependant admettre assez rapidement, après les premiers moments d'émotion que lui procura la sensation des caractères sous ses doigts, que ce procédé avait quelque chose de très frustrant. Le déchiffrage d'un texte était très lent; il fallait suivre le contour de chacune des lettres d'un mot du bout des doigts et s'en souvenir en passant à la suivante — puis se souvenir de toutes dans leur ordre exact pour comprendre le mot, et de tous les mots pour comprendre la phrase. On oubliait souvent les premières lettres d'un mot un peu long en arrivant aux dernières! Et Louis avait beau faire des progrès, il était difficile de sentir la forme des lettres.

Un élève de talent

Les leçons de travaux pratiques ne posaient aucun problème à Louis: vannerie, tricot, fabrication de chaussons, toutes ces activités lui plaisaient. A la fin de l'année, il remporta des prix dans les deux dernières disciplines, faisant une fois de plus preuve de cette stupéfiante agilité des doigts que sa famille avait remarquée à la maison.

Et il y avait la musique! Flûte, basson, piano étaient enseignés à l'école par des professeurs qui venaient spécialement du Conservatoire de Paris; ils les initiaient aux instruments en guidant les doigts des enfants sur les touches ou les clefs, jusqu'à ce qu'ils aient retenu la position de chacune des notes et les sons qu'ils devaient produire.

Dès le début, Louis éprouva un plaisir particulier à faire de la musique. Il choisit le piano, et cet instrument lui donna rapidement un sentiment de liberté dont son jeu se ressentait; il montra des dons certains pour la musique, dès le début.

Un nouveau directeur

Au début de la troisième année scolaire de Braille, en 1821, se produisit un changement d'importance. Le Dr Guillié fut révoqué et remplacé par un autre directeur. Les élèves ignoraient les raisons de cette révocation, mais ne se sentaient pas trop chagrin de voir partir

Louis fit preuve de dons éclatants en classe, dans toutes les matières, et en particulier en musique. Ses parents pouvaient au moins espérer qu'il arriverait à gagner sa vie comme musicien, à l'instar de ce joueur de cornemuse aveugle.

le Dr Guillié; en dépit du réel travail qu'il avait accompli pour l'école, c'était un homme brusque, inabordable, qui avait dirigé son établissement très strictement à l'aide de règles contraignantes et d'une discipline sévère.

Le nouveau directeur, le Dr Pignier, était bien différent. C'était un homme dévoué, qui paraissait décidé à voir les enfants qui lui étaient confiés faire des progrès. Nous en savons également beaucoup sur la jeunesse de Louis Braille grâce au Dr Pignier, car il a laissé des mémoires dans lesquels il nous parle du jeune élève, dès ses premières rencontres avec lui.

L'excitation était aussi très grande en ces premiers mois de 1821, car l'école se préparait à accueillir son fondateur, Valentin Haüy.

Il y avait longtemps que le vieil homme ne l'avait pas visitée. Il avait accepté l'invitation du Tsar Alexandre Ier, qui lui avait demandé de venir mettre sur pied

«Doué d'une grande facilité, d'une intelligence vive et surtout d'une rectitude d'esprit remarquable, il se fit bientôt connaître par ses progrès et ses succès dans ses études. Ses compositions littéraires ou scientifiques ne renfermaient que des pensées exactes; elles se distinguaient par une grande netteté d'idées exprimées dans un style clair et correct. On y reconnaissait de l'imagination; mais celle-ci était toujours dirigée par le jugement.»

Docteur Pignier,
Notes biographiques sur trois anciens professeurs de l'Institut des jeunes aveugles

La foire de Saint-Ovide, en 1771, où Valentin Haüy vit des aveugles faire les clowns sous les quolibets et les rires de la foule. La vue de ces hommes impuissants, dégradés et ridiculisés le choqua profondément. Cet incident fut à l'origine de la campagne qu'il mena pour fonder ce qui fut la première école au monde réservée aux aveugles.

en Russie un projet d'éducation pour les aveugles, et il n'était revenu en France que onze ans plus tard, en 1817. Ses tentatives pour visiter l'établissement de Paris avaient été une profonde déception, tant l'accueil que lui avait réservé le Dr Guillié avait été froid.

Le Dr Pignier et le personnel ne demandaient pas mieux que d'honorer comme il convenait l'homme qui s'était battu pendant dix-sept ans pour créer la première école au monde destinée aux aveugles.

Mais Valentin Haüy avait fait bien plus que simplement offrir une éducation aux jeunes aveugles, ces laissés-pour-compte. Il fut le premier à proclamer que les aveugles étaient les égaux de tous, et qu'ils devaient avoir les mêmes chances que les autres, c'est-à-dire pouvoir être éduqués, vivre de leur travail, être indépendants. Son appel avait été largement entendu, et des écoles, sur le modèle de celle de Paris, avaient été ouvertes en Allemagne, en Autriche, en Prusse, en Angleterre et en Russie.

L'héritage de Valentin Haüy

Valentin Haüy lui-même n'avait compris quel fossé séparait les aveugles des autres que le jour où il avait assisté à une scène lamentable: des musiciens aveugles, coiffés de bonnets d'âne, d'énormes lunettes sur le nez, faisant les clowns devant une foule qui leur lançait des quolibets, lors de la foire de Saint-Ovide, en septembre 1771. Ce spectacle l'avait profondément scandalisé, et il était déterminé à faire tout ce qui serait en son pouvoir pour changer cet abominable état de chose.

Mais il lui fallait pour cela surmonter des préjugés de taille solidement ancrés dans les esprits s'il voulait être pris au sérieux. Le premier de ces préjugés concernait la soi-disant stupidité des aveugles; du coup, les gens ne voyaient pas la nécessité de perdre du temps et de l'argent à dispenser un enseignement inutile.

Il s'était heurté à la double difficulté de trouver un financement à son entreprise, mais aussi des aveugles qui accepteraient de recevoir un enseignement. Ce n'est que treize ans plus tard, soit en 1784, qu'il sortit son premier élève de la rue: un mendiant de seize ans, François Lesueur, qui hantait quotidiennement le porche de l'église Saint-Germain. François avait perdu la vue peu après sa naissance et avait toujours mendié pour gagner sa vie. Valentin Haüy lui offrit un toit et ses premières leçons.

Il commença à apprendre à lire à François à l'aide de lettres mobiles en bois découpé, qu'il disposait sur des tablettes pour former des mots. Ce procédé fonctionna, et il put montrer avec une fierté légitime les progrès de son élève à l'Académie royale, l'institution la plus prestigieuse de France. Les prouesses de François Lesueur firent sensation.

Une école pour les enfants aveugles

Le rêve de Valentin Haüy était devenu une réalité: le monde avait sa première école pour jeunes aveugles, et elle comptait vingt-quatre élèves, rassemblés dans une vieille maison de Paris. C'est alors qu'avait eu lieu la présentation à Versailles dont avait été témoin le marquis d'Orvilliers; l'afflux de donations avait permis à l'école de s'agrandir. Elle prit en 1791 le statut d'institut national par décret du gouvernement. Mais le contrôle de l'Etat, en fin de compte, conduisit l'école à fusionner, sur ordre de Napoléon, avec un asile pour les aveugles âgés, l'hôpital des Quinze-Vingts. Un an plus tard, on avait remercié Haüy.

Alors que l'institution avait retrouvé son indépendance et était de nouveau une école pour les enfants, bien séparée des fonctions hospitalières et asilaires des Quinze-Vingts, son fondateur vieillissant n'avait pas encore eu le droit de la visiter.

Visite de Valentin Haüy

L'un des premiers gestes du Dr Pignier, en entrant en fonction, fut de réparer cette injustice. Il fit parvenir une invitation à Valentin Haüy à faire la visite officielle de l'institution. Aucun effort ne serait épargné pour lui prodiguer un accueil digne de lui. Décoration des classes, démonstrations de connaissances et de savoir-faire, le tout se terminant par de la musique. La journée mettrait un terme final à l'année scolaire.

Jamais Braille n'oublierait sa rencontre avec le vieil homme et la joie qu'éprouvait ce courageux pionnier en constatant que ses efforts n'avaient pas été vains. Les preuves vivantes étaient là sous ses yeux, tous ces enfants qui lui exprimaient leur reconnais-

Cette statue de Valentin Haüy, une main protectrice sur la tête de François Lesueur, s'élève devant l'Institut national des jeunes aveugles, à Paris. Elle commémore le premier acte de compassion de Haüy, le jour où il fit du jeune mendiant son premier élève.

Texte imprimé selon la méthode des lettres en relief de Valentin Haüy. Ces livres étaient énormes, d'une part à cause de la place que prenaient les pages épaisses, gravées en relief et collées dos à dos, mais aussi du fait que les caractères devaient être très gros pour pouvoir être «lus» par le doigt qui en suivait le contour. Très peu de texte, un temps de lecture infini, ce procédé était sans avenir réel.

sance pour leur avoir ouvert un monde qui, autrement, leur serait toujours resté fermé, comme c'était le cas pour tant d'autres aveugles.

Quelle différence avec les mendiants et les créatures grotesques exhibées sur les tréteaux de la foire qui avaient autrefois soulevé sa compassion!

Cette journée fut un coup de fouet pour le jeune Braille, tandis qu'il chantait avec les autres et serrait les mains de Valentin Haüy. Car au cours de ces derniers mois, le jeune homme avait eu vent d'une autre découverte qui avait mis le feu à son imagination et l'avait tourné vers de nouvelles ambitions.

Les petits points du capitaine Barbier

Un peu plus tôt cette année-là, Charles Barbier, un capitaine d'artillerie, était venu voir le Dr Pignier, porteur d'une intéressante proposition. Il venait d'inventer une nouvelle forme d'écriture, à l'aide de simples points et traits en relief. Il l'avait mise au point afin que les ordres puissent passer du commandement aux exécutants pendant la nuit. Il avait d'ailleurs appelé ce procédé «écriture nocturne», ou «écriture de nuit».

C'est alors qu'il avait assisté à une démonstration au Musée de l'Industrie: de jeunes aveugles avaient lu des textes dans un ouvrage imprimé selon la méthode de Valentin Haüy, avec leurs grosses pages aux lettres en relief. Le capitaine Barbier avait été frappé par l'extrême lenteur du procédé.

Cela l'avait poussé à prolonger son travail sur l'écriture nocturne afin de l'adapter aux aveugles. Il avait expliqué son système, rebaptisé sonographie, au Dr Pignier. Il ne se servait pas de lettres pour épeler les mots, mais transmettait des sons entiers au moyen de groupes de points et de traits.

Au cours des années, plusieurs inventeurs inspirés avaient frappé à la porte de l'institution; mais jusqu'ici, leurs idées, après avoir été essayées par les élèves, s'étaient révélées décevantes et inutilisables.

L'utilisation de ce système de points et de traits était manifestement quelque chose de nouveau. Tous les autres étaient fondés sur l'alphabet des personnes dotées de la vue, modifié de façon à être senti au lieu d'être vu. Cette idée de points et de traits parut suffisamment originale au Dr Pignier pour qu'il s'engage à la faire essayer par ses élèves.

Le capitaine Barbier dut ronger son frein un certain temps, car le Dr Pignier tenait beaucoup à ce que ce procédé soit testé par les jeunes aveugles.

Louis Braille et ses camarades entendirent parler pour la première fois de l'invention du capitaine Barbier quelques jours plus tard, lors d'une réunion générales de l'école. Les élèves se demandaient quel événement extraordinaire avait décidé le Dr Pignier à la convoquer. Soixante élèves dansaient d'un pied sur l'autre, leur anxiété peut-être partagée par une partie de leurs professeurs et de leurs surveillants. Qui sait s'il n'allait pas y avoir une réorganisation de l'école, des changements dans son personnel? Ils ne s'attendaient certes pas à la description, longue et détaillée, de l'invention du capitaine qu'on leur fit, tandis qu'on faisait circuler dans leurs rangs quelques pages estampées par ce nouveau système pour qu'ils les touchent.

Braille maîtrise le procédé

Des points! Louis était fasciné. On peut imaginer

les enfants, timides et indécis dans leurs premiers essais, tandis qu'un murmure d'intérêt montait dans la salle, au fur et à mesure que les doigts exploraient les formes différentes, puis la montée de l'excitation tandis qu'ils se rendaient compte à quel point il leur était plus facile de distinguer celles-ci que les contours des grandes lettres en relief des livres auxquels ils étaient habitués.

Les exclamations et les remarques fusèrent; chacun avait une opinion; certains se sentaient intimidés à l'idée d'apprendre quelque chose de nouveau: c'était un peu compliqué. D'autres, au contraire, avaient l'impression que ce procédé serait plus rapide. En outre, non seulement ils pourraient lire, mais ils pourraient aussi écrire.

Tous furent d'accord que le système méritait d'être mis à l'épreuve, et on informa le capitaine Barbier que son «sonographe» serait adopté par l'institution en tant que «méthode auxiliaire d'enseignement».

Louis Braille et ses camarades étaient impatients d'apprendre cette nouvelle écriture. Avec sa vive intelligence et sa dextérité, Braille ne tarda pas à maîtriser le processus qui permettait de composer les mots à partir des sons figurés par des points. Il apprit le tableau de Barbier des combinaisons de points, et devint rapidement d'une grande habileté à se servir du matériel conçu par le capitaine pour écrire.

Ce matériel était simple mais extrêmement ingénieux. Il comprenait une règle plate comportant sept sillons de faible profondeur courant sur toute sa longueur. Pour «écrire», on plaçait le papier sur cette règle; solidaire de la règle, il y avait une attache mobile (curseur), perforée de petites ouvertures par lesquelles on pouvait former des points à des endroits précis du papier, grâce aux sillons. Points ou traits étaient pratiqués à l'aide d'un instrument pointu, un stylet, que l'on tenait par une grosse poignée ronde. Il suffisait de l'abaisser pour imprimer un point, qui apparaissait alors en relief sur l'envers du papier. Le scripteur se déplaçait de droite à gauche, si bien qu'en retournant la feuille on avait une écriture normale de gauche à droite.

Tout au long de l'hiver, les élèves travaillèrent avec enthousiasme sur l'invention de Barbier. Ils étaient fascinés à l'idée de pouvoir enfin écrire et d'être capables de pouvoir vraiment lire. Braille et Gauthier passèrent de nombreuses heures, en dehors des classes, à s'adresser mutuellement des messages pour s'exercer.

Difficultés du procédé de Barbier

Mais plus Braille se familiarisait avec le sonographe, plus il devait admettre que ce système posait des problèmes quasi insurmontables. Pour commencer, on ne pouvait s'en servir pour épeler; il était conçu pour représenter les mots sous forme d'une collection de sons. On ne pouvait placer ni virgules, ni points, ni la moindre ponctuation, le capitaine Barbier n'ayant prévu aucune combinaison de points pour cela. On ne pouvait non plus mettre d'accents ni écrire de chiffres. Pas de mathématique possible. Pas de notation musicale, non plus.

Et il y avait tant de points pour chaque mot! Chaque symbole pouvait comporter jusqu'à six points, et une seule syllabe arrivait à en compter jusqu'à vingt! C'était trop pour pouvoir les sentir avec un seul doigt, trop dans un groupe pour s'en souvenir sans erreur.

Certes, le procédé était infiniment mieux que celui des lettres en relief de Valentin Haüy; mais il fallut tout de même admettre, en fin de compte, qu'il y avait trop de points et que ces points n'en disaient pas assez.

Braille rencontre le capitaine Barbier

Braille hasarda quelques améliorations. Celles-ci semblaient efficaces et, excité, il les montra au Dr Pignier. Impressionné, le directeur suggéra d'en parler à Barbier et le capitaine, lui aussi intéressé, vint une deuxième fois à l'école.

Il n'existe aucun compte rendu détaillé de la rencontre de Braille et de Barbier, mais nous savons que le capitaine n'en revenait pas de se trouver en face d'un garçon de treize ans qui prétendait avoir résolu des problèmes ayant échappé à sa propre sagacité. Et s'il admit volontiers l'utilité des améliorations suggérées par Braille, il ne fut pas convaincu lorsque l'adolescent fit remarquer avec insistance qu'il fallait envisager une transformation plus radicale pour réduire le nombre des points et introduire la ponctuation.

Car, en dépit de la sympathie qu'il éprouvait pour

B	D	G
J	V	Z
R	GN	LL
IEN	ION	IEU

Eléments du sonographe de Barbier: les points s'étendaient sur une grille de six sur six. Les points indiquaient la position de chaque son dans la grille; il fallait compter les points de la première colonne pour trouver la bonne rangée, ceux de la deuxième pour trouver la ligne. C'est de ce système compliqué que Braille tira son idée des six points par lettre; par contraste, il apparaît comme un modèle de simplicité, de précision et d'économie.

les aveugles, pour lesquels il avait développé le sonographe, le capitaine n'arrivait pas à se figurer qu'ils auraient l'usage d'un système aussi élaboré que celui suggéré par l'ambitieux jeune homme. A ses yeux, les aveugles avaient simplement besoin d'un système de communication de base; pourquoi vouloir un alphabet complet, une ponctuation, une notation mathématique et musicale?

Il ne comprenait pas le désir profond que trahissait cette exigence, désir pour l'aveugle de pénétrer enfin dans le monde de la littérature et de la science, d'être capable de lire et de composer, quelle que soit la complexité de la pensée à exprimer, et de transmettre ses réflexions aux autres.

Braille expérimentateur

Face à l'obstination du capitaine Barbier, pour qui son système était aussi bon qu'il avait besoin de l'être, Braille renonça à le convaincre. Il restait néanmoins certain que ce système pouvait être amélioré. Avec ou sans Barbier, il chercherait, il simplifierait. Il trouverait quelque chose d'efficace, de facilement manipulable, capable de faire tout ce qui relevait de l'écriture et de la lecture, avec la même flexibilité que l'alphabet des voyants.

Et c'est ainsi qu'un gamin de treize ans se mit en quête de ce procédé idéal. Il y travaillait pendant tous les instants qu'il pouvait voler aux leçons, n'hésitant pas, comme nous l'avons vu, à s'y atteler la nuit, dans le silence du dortoir, et à s'y remettre le matin, dès avant l'aube. Il profita aussi de ses vacances à Coupvray pour calculer, expérimenter, revoir et améliorer sans cesse.

Sa première tâche consistait à réduire le nombre de points afin que chaque symbole soit immédiatement interprété, au premier contact du doigt. Il devait également éliminer toute disposition de points ou de traits qui pourrait se confondre avec une autre; chaque groupe de points devait avoir des caractéristiques qui le différenciaient nettement des autres.

Il y avait une solution, il en était convaincu. Il suffisait de la trouver.

Ci-dessus: le jeu de dominos personnel de Louis Braille.

A gauche: la plus étroite de ces règles plates est celle du sonographe de Barbier; l'autre est le modèle transformé par Braille pour son écriture à six points. Elles reposent sur une des premières versions de l'alphabet braille, qui comporte encore les traits qu'il supprimera par la suite.

L'aube de l'alphabet braille

En octobre, à la rentrée, Louis sentait que son système était prêt. Il avait trouvé le moyen de former toutes les lettres de l'alphabet, les accents, la ponctuation et les signes mathématiques à l'aide de seulement six points et quelques traits horizontaux. Le groupe de points pour chaque signe était maintenant si petit qu'il n'était pas nécessaire de déplacer le doigt: on sentait tout le groupe d'un coup, comme l'oeil voit une lettre d'un coup.

Son ami Gauthier, mis au courant, ne pouvait contenir son excitation. Des groupes d'élèves se réunirent autour du jeune Braille, qui écrivait avec une vitesse et une précision confondante. En quelques heures, toute l'école était au courant et le Dr Pignier fit venir Braille pour qu'il lui montre ce qu'il avait trouvé. Le directeur, fasciné, le regarda faire sa démonstration: cela paraissait si simple, si précis, si clair! Six points seulement! Et avec ses six points, cet extraordinaire enfant avait trouvé le moyen de former soixante-trois combinaisons. Il y avait vraiment quelque chose là-dedans!

Il restait quelques détails à régler, admit Braille, le plus sérieusement du monde. Sans hésiter, le directeur félicita le jeune élève et l'invita à continuer ses recherches.

Il fallut peu de temps à ses camarades pour apprendre le système de Braille. Il ne se traduisait pas par toutes les frustrations qu'ils avaient connues avec les points du capitaine Barbier. Impressionné par l'enthousiasme des enfants et leurs indéniables et rapides progrès, le Dr Pignier fit adapter les règles plates de Barbier au système à six points de Braille. Les «fenêtres» sur le curseur mobile furent réduites de taille, chacune pouvant servir à positionner six points.

Pour la première fois, des étudiants aveugles pouvaient prendre des notes, recopier les passages qui les intéressaient, voire des livres entiers, s'envoyer des lettres, tenir un journal, écrire des histoires: tout ce qui jusqu'ici leur avait été totalement interdit. Pour les aveugles, c'était indiscutablement l'aube d'une ère nouvelle.

Ci-dessous: Saint-Nicolas du Chardonnet se trouvait à proximité de l'Institut de la rue Saint-Victor. Organiste, Louis Braille put exprimer la ferveur de sa foi en jouant dans différentes églises de Paris, sur les premières partitions jamais transcrites en braille.

Enseignant et musicien

L'enthousiasme de ses amis était pour Braille une preuve suffisante. Il continua d'expérimenter et de perfectionner ses «petits procédés», comme il les appelait. Mais cela ne l'empêcha pas de poursuivre au même rythme ses autres activités: sa vie était aussi remplie que par le passé, aussi bien par les études que par les travaux manuels, dans lesquels il excellait.

En 1826, alors qu'il n'avait que dix-sept ans, Braille commença à enseigner l'algèbre, la grammaire et la géographie aux élèves plus jeunes. Il avait trouvé sa vocation; l'élève aveugle devint un excellent professeur pour les aveugles. C'était une profession qui convenait parfaitement à ce jeune homme aux manières douces, à l'esprit souple et qui aimait ses élèves.

La musique continua de procurer de grands plaisirs à Louis. Il étudiait maintenant l'orgue, et devint plus tard organiste de plusieurs églises de la ville, situation qui lui permettait à la fois de jouer la musique qu'il aimait et d'exprimer sa profonde foi religieuse.

Coltat, qui fut son élève puis son ami, nous rapporte qu'il avait un jeu d'orgue «correct, brillant, aisé», typique de sa personnalité.

«Il était doué d'une grande patience dans ses essais; son esprit, essentiellement méthodique, se livrait facilement à la décomposition et à la recomposition du tout.»

Hippolyte Coltat,
ami de Louis Braille

En 1828, Louis Braille étendit son système à la notation musicale. A gauche, technique des notes en relief selon le procédé Haüy, à droite, notation en braille, datant de 1841. Le braille permettait aux musiciens non seulement de lire la musique, mais d'en écrire. Louis passa de nombreuses années à perfectionner son système de notation.

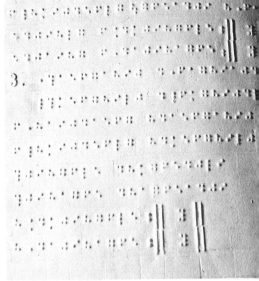

Le développement du braille

Pour le moment, voyons les perfectionnements apportés par Louis Braille à ses «petits procédés» au cours des années qui suivirent. Il commença par transcrire, en 1827, un livre de grammaire dans son alphabet de points, suivi deux ans plus tard par un autre texte de grammaire. En 1828, il étendit son système à la notation musicale, après avoir entre temps supprimé les tirets de son alphabet. La pratique lui avait montré que bien qu'ils fussent faciles à reconnaître au toucher, ils étaient difficiles à former correctement avec le stylet.

En 1829, parut la première édition de l'ouvrage de Louis Braille sur sa méthode. Ce livre consacre la naissance réelle de l'alphabet *braille*. Mais il allait falloir attendre bien des années pour qu'il fût officiellement adopté, même dans la propre institution de Braille.

Dans la préface de ce livre, Louis Braille analyse les améliorations que son procédé comporte par rapport à celui du capitaine Barbier. Mais il se montre d'une scrupuleuse honnêteté lorsqu'il reconnaît que la paternité de l'idée originale d'un système de points revient entièrement à l'officier d'artillerie: «Nous devons dire, à son honneur, que c'est à son procédé que nous devons la première idée du nôtre», a-t-il déclaré.

Un professeur inspiré

En août 1828, Louis Braille devint officiellement professeur à l'Institut; lorsque les cours reprirent, après les vacances d'été, il se chargea de l'enseignement de la grammaire, de la géographie, de l'arithmétique et de la musique.

Comme professeur, Braille était un exemple permanent. Son élève Coltat nous a laissé le témoignage suivant: «Il s'acquittait de ses fonctions avec tant de charme et de sagacité, que, pour ses élèves, le devoir d'assister à la classe était transformé en un véritable plaisir. Chez eux, l'émulation n'avait pas tellement pour but de s'égaler ou de se surpasser les uns les autres, elle devenait encore une touchante et continuelle attention à se rendre agréables à un professeur qu'ils affectionnaient comme un supérieur estimable et comme un ami sage et éclairé, fertile en bons conseils.»

Pour Braille, sa vie de professeur prolongeait celle

Page ci-contre: un professeur guide la main d'un élève aveugle sur les touches d'un piano. La musique joue un rôle vital pour les aveugles, non seulement pour les joies qu'elle peut leur apporter, mais aussi parce qu'elle développe en eux les sens du toucher et de l'ouïe.

«La singulière justesse de son esprit, la rectitude de sa raison, la pénétration de son intelligence, lui faisaient prévoir l'enchaînement et les conséquences des événements; en sorte que, parmi les personnes qui le connaissaient particulièrement, il y en avait peu qui ne le prissent pour conseiller, et ne se trouvassent très bien de la direction que leur avait fait prendre sa prudence.»

Hippolyte Coltat,
ami de Louis Braille.

d'élève. Le règlement de l'établissement, un siècle et demi plus tard, nous paraît extrêmement sévère: il ne pouvait quitter l'école sans permission, ne pouvait recevoir de visiteurs sans autorisation et même son courrier était lu. Et encore, tout cela sous le règne débonnaire du bon Dr Pignier!

Il n'était plus obligé, cependant, de dormir dans le dortoir et disposait d'une chambre pour lui tout seul. Il trouva étrange, au début, de ne plus sentir la présence des autres autour de lui; mais quel luxe que d'avoir la paix et de pouvoir se consacrer à ses travaux et ses recherches, lorsqu'il avait rempli ses devoirs quotidiens!

Braille se sentait heureux. Son enseignement le captivait, ses recherches le captivaient, et ses amis l'enchantaient; il préparait ses leçons à l'aide de son propre alphabet et entreprit un ouvrage d'arithmétique ainsi que des recherches sur la notation musicale.

Frappé par le deuil

En 1831, son frère, Louis-Simon, arriva à l'institution porteur d'une bien mauvaise nouvelle. Leur père était mort. Jusqu'à ses derniers moments, Simon-René s'était inquiété de ce qu'il allait advenir de son fils aveugle, qui n'avait encore que vingt-deux ans. Louis-Simon avait apporté avec lui la dernière lettre de leur père, dictée sur son lit de mort, et adressée au Dr Pignier. Dans celle-ci, Simon-René Braille demandait au directeur de ne jamais abandonner Louis, de ne jamais le chasser.

Ce soir-là, Louis Braille partit pour Coupvray pour être avec sa famille en ces temps de deuil et pour soutenir sa mère dans son chagrin. Au moins avait-il accédé au souhait le plus fervent de son père: il avait une profession et gagnait sa vie. Il pouvait être un réconfort pour sa mère, et non un fardeau supplémentaire, comme l'étaient trop souvent les aveugles.

Mauvaise santé

Au cours des premières années de la décennie 1830-1840, Louis s'était souvent senti anormalement fatigué. En 1835, il devint impossible d'ignorer les signes de plus en plus nets d'une affection grave et persistante. Il n'avait pas trente ans, et pourtant se sentait épuisé en permanence; il était pris d'accès de fièvre intermittents et souvent gêné par une douleur dans la poitrine.

Il s'éveilla une nuit brûlant de fièvre, la bouche soudain pleine de sang. Il appela désespérément à l'aide.

Il ne fallut guère de temps au médecin de l'école pour établir son diagnostic. Braille venait de subir une hémorragie interne, et il ne faisait aucun doute que le jeune homme en était au stade précoce de la tuberculose, maladie redoutée des poumons pour laquelle il n'existait alors aucun traitement.

Les médecins savaient en reconnaître les symptômes, mais là s'arrêtait leur connaissance de la maladie. Ils ignoraient qu'elle était due à un germe qui se multipliait plus volontiers dans les endroits clos et humides comme l'école et les quartiers insalubres et trop peuplés, comme celui de Paris dans lequel était situé l'institut. Un séjour à l'air pur aurait pu lui faire du bien, mais le médecin lui prescrivit seulement de se reposer davantage et de manger mieux.

Le Dr Pignier changea aussitôt l'emploi du temps de son équipe, afin d'alléger la charge de travail de Braille; il aurait à parler beaucoup moins, et moins de cours à préparer.

Mais, forcé de renoncer à une partie de son enseignement, Braille réagit en accroissant ses travaux de recherche. En 1836, il ajouta la lettre W (qui n'existait pratiquement pas en français à cette époque) à son alphabet, à la demande d'un élève anglais de l'école. Un an plus tard, il publia une édition révisée de son système de notation. Il continuait de l'appeler ses «petits procédés pour écrire au moyen de points», sans se douter que son patronyme serait un jour immortalisé lorsque ces «petits procédés» porteraient le nom, mondialement connu, de *braille*.

La raphigraphie

Braille s'intéressa alors au moyen de faire communiquer par écrit personnes ayant la vue et aveugles. Il ne pouvait utiliser son procédé de six points, qui aurait exigé l'apprentissage du braille par les personnes douées de la vue. Il fallait donc un système qui permette à un aveugle de tracer des lettres reconnaissa-

Ci-dessous: la raphigraphie, méthode inventée par Braille pour représenter en relief les lettres de l'alphabet. Les textes ainsi rédigés étaient lisibles par les aveugles comme par les personnes jouissant de la vue.

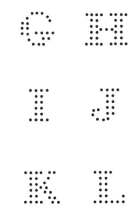

Ci-dessus: globe terrestre en braille. Le braille peut être appliqué à tout ce qui nécessite l'usage de l'alphabet, des chiffres, ou des signes scientifiques.

bles à la vue, dans l'alphabet ordinaire.

En 1839, Braille trouva la solution. Il élabora un procédé, non seulement pour le contour des lettres, mais aussi des cartes, des figures géométriques et des notes de musique, à base de points. Les aveugles pouvaient sentir ce contour, les autres le voir. Il appela ce système raphigraphie, et les étudiants de l'institution mirent autant d'enthousiasme à l'apprendre que le braille. Ils pouvaient écrire à leurs parents, maintenant!

Cette invention prit davantage d'extension lorsque François-Pierre Foucault, un ami de Braille à l'esprit inventif qui vivait à l'hôpital des Quinze-Vingts, imagina une machine pour imprimer en raphigraphie. Elle était constituée de leviers dont les extrémités en relief imprimaient les lettres sur le papier. Ce n'était rien moins que l'ancêtre direct de la machine à écrire, et

l'invention était due à un aveugle!

Plus il poursuivait ses recherches, plus Braille améliorait la précision de son système de lettres. Il fallait tellement d'espace pour écrire un seul mot, même en braille! Il était donc nécessaire de l'économiser au maximum. Or Louis Braille avait le génie de la précision; c'est pourquoi son procédé a fini par triompher partout.

Résistances

Le Dr Pignier avait réclamé avec insistance depuis 1829 que le système de Braille obtienne un statut officiel à l'école. En 1834, il avait même pu faire faire une démonstration de braille lors de l'Exposition industrielle de la place de la Concorde; en 1837, les presses de l'institution sortirent une *Histoire de France* en trois volumes — le premier livre jamais imprimé en braille.

Mais le conseil d'administration de l'école s'entêtait à ne vouloir reconnaître qu'un procédé, celui des lettres en relief de Valentin Haüy (mort en 1822, peu après sa réception à l'école), en dépit de ses évidents défauts et de sa médiocrité. Les tentatives pour écrire selon ce principe, avec les années, s'étaient en effet révélées très décevantes.

Changer de système aurait coûté fort cher: il aurait fallu imprimer de nouveaux livres, remplacer les instruments, transformer les méthodes d'enseignement.

Nombre de personnes, en outre, estimaient que les aveugles devaient absolument utiliser un système également accessible aux personnes voyantes; sinon, ce serait élever une impénétrable barrière entre celles-ci et ceux-là. Idée qui devait se maintenir sous différentes formes pendant plusieurs décennies et qui constitua longtemps une pierre d'achoppement pour l'acceptation internationale du procédé de Braille.

Louis Braille fut extrêmement déçu par le manque de soutien des autorités, et écrivit même au ministre de l'Intérieur en personne. Il ne reçut aucune réponse. Ce ne fut qu'en 1840, dix-sept ans après l'invention de son procédé, qu'il sentit l'espoir renaître, lorsque le Dr Pignier obtint enfin une réponse encourageante à sa dernière requête; les autorités trouvaient ce travail «remarquable» et estimaient que Monsieur Braille devait être «encouragé». Il n'empêche que c'était toujours la méthode Haüy qui était officiellement enseignée aux enfants de l'Institut.

Révocation du Dr Pignier

En réalité, cette année-là fut celle des espoirs déçus. Depuis quelque temps, le principal-adjoint de l'école, un certain Dufau, tentait de se débarrasser du Dr Pignier pour prendre sa place. En 1840, avec l'aide de l'un des professeurs, il finit par convaincre les autorités de tutelle que le Dr Pignier «corrompait l'esprit des enfants» par sa manière d'enseigner l'histoire — un sujet délicat, après les bouleversements que venait de connaître la France. Obligé de démissionner, Pignier fut remplacé par Dufau.

L'école venait de perdre un homme qui, pendant vingt ans, s'était dévoué sans compter pour ses élèves,

Buste de Louis Braille. D'après son ami Coltat, il était de taille moyenne, blond, bouclé; il portait toujours la tête penchée en avant et légèrement sur le côté, attitude qu'il avait adoptée dès son enfance. Détendu dans ses gestes, il était cependant agile et sûr; la pâleur de son visage trahissait sa mauvaise santé.

un homme qui s'était fait le champion du procédé d'écriture de Braille. Le Dr Pignier l'avait toujours laissé utiliser dans l'école, même s'il n'était pas officiellement reconnu. A partir de maintenant, les choses allaient prendre une autre tournure; Dufau était un adversaire du braille, et son créateur et les autres élèves redoutaient de ne pouvoir continuer à l'employer.

Le nouveau directeur

L'année 1841 ne fut pas moins triste pour Braille, qui eut le malheur de perdre sa soeur Marie-Céline, à Coupvray. Elle n'avait que quarante-trois ans et laissait deux enfants de six et treize ans. Le terrible chagrin de la famille s'aggravait encore des inquiétudes pour la santé de Louis, constamment souffrant.

Sous la direction de Dufau, l'école avait perdu tout agrément. Celui-ci voulait faire bien sentir son autorité. Il paraissait vouloir tout changer. Chaque jour voyait l'introduction d'une nouveauté, faite sans préparation et sans tenir compte du désarroi provoqué parmi les élèves aveugles que leur état oblige à un ordre méticuleux et à une routine sans faille.

Dufau estimait par ailleurs que les aveugles devaient employer le même alphabet que tout le monde. Se servir d'une autre notation ne ferait que les tenir à l'écart, disait-il, de la vie intellectuelle normale. Il s'accrochait à son point de vue sans en démordre, malgré le désaveu flagrant qui constituait la préférence des jeunes aveugles pour le braille.

L'état de santé de Braille se dégrade

Pendant tout ce temps, la santé de Louis Braille ne fit que se détériorer. Il perdit encore du poids. Dans les premiers mois de 1843, il eut une autre hémorragie interne et se remit à cracher le sang. Il dut garder le lit pendant des semaines. Le Dr Allibert, médecin de l'école, fut catégorique: il avait besoin d'un repos absolu et devait cesser ses cours. Dufau et Braille s'inclinèrent.

Les semaines passèrent; les visites des amis de Braille le tenaient au courant des menus incidents de l'école. Un temps plus clément sembla apporter une amélioration, et il put faire quelques sorties en compa-

«L'amitié chez lui était un devoir consciencieux en même temps qu'un tendre sentiment. Il lui aurait tout sacrifié, son temps, sa santé, sa fortune... Il voulait que son amitié profitât à ceux qui en étaient l'objet; elle le rendait vigilant sur leur conduite, et lui inspirait souvent de fermes et lumineux conseils. Lorsqu'il y avait un avis important mais pénible à adresser à un ami commun, si d'autres montraient de l'hésitation ou de la répugnance à s'acquitter de cette mission difficile, «Allons, je me sacrifierai», disait-il en souriant.»

Hippolyte Coltat

Un village français typique de l'époque. Le séjour de six mois que Braille fit en 1843 à Coupvray, loin des querelles de l'Institut et de l'air vicié de la rue Saint-Victor, sembla lui rendre ses forces. Mais ce n'était, hélas! qu'une rémission de courte durée, et la tuberculose continuait de le miner.

gnie de Gauthier et Coltat pour aller rendre visite au Dr Pignier, qui vivait non loin de l'école. Au retour de l'une de ces promenades, Louis Braille fut victime d'une nouvelle hémorragie interne. Le Dr Allibert craignit le pire. Il exigea de Braille qu'il aille se reposer dans sa famille, à la campagne.

Retour à Coupvray

Braille se rendit donc à Coupvray au printemps de 1843; il devait y rester six mois. Le bon air, la cuisine et les soins de sa mère, l'absence de soucis et l'éloignement de la désagréable atmosphère d'intrigues et de rivalités instaurée par Dufau à l'école, tout cela parut l'aider. L'année ne se passa pas, cependant, sans un autre chagrin: la disparition de l'instituteur Antoine Bécheret. L'abbé Palluy et le marquis d'Orvilliers étaient déjà morts. Les trois hommes qui avaient tant compté dans la vie de Braille n'étaient plus.

Braille prenait cependant un grand plaisir à la compagnie des membres les plus jeunes de la famille, et développa des liens particulièrement affectueux avec la fille de sa soeur disparue, la petite Céline-Louise, avec laquelle il passait de longues heures à bavarder et à se promener.

La maison de la famille Braille à Coupvray dans son état actuel. Depuis le centenaire de la mort de Louis Braille en 1952, la maison et l'atelier ont été transformés en musée.

Retour à Paris

Louis revint à Paris en automne 1843, sensiblement ragaillardi; mais les choses, à l'école, n'avaient fait qu'empirer. Dufau, suivant l'exemple d'écoles américaines et écossaises pour aveugles, avait décidé de réduire la taille des lettres du procédé Valentin Haüy — et pour cela avait fait brûler tous les vieux livres en relief!

Des vingt-six ouvrages imprimés par le Dr Guillié et des quarante-sept par le Dr Pignier, aucun n'avait échappé aux flammes. Les malheureux aveugles de-

Invités aveugles arrivant à une réception. Situation moins indigne que celle de la Parabole des aveugles de Breughel, *page 18. Lorsque les élèves de l'Institut sortaient, ils marchaient à la file indienne, reliés par une corde. Pour Braille, un aveugle refusait d'être mis à l'écart du monde sous prétexte qu'il ne pouvait voir. Pour lui, un aveugle devait travailler et étudier pour être l'égal des autres et ne devait pas être l'objet de la pitié, du mépris que l'on voue à l'ignorant.*

vaient maintenant réapprendre à lire à partir de zéro, avec des lettres d'une forme et d'une taille nouvelles!

Inutile de préciser que l'alphabet braille n'était pas au programme de Dufau — avec une exception, cependant, la notation musicale.

Les élèves, néanmoins, s'accrochaient obstinément au braille. Ils se l'enseignaient mutuellement en dehors des heures de classe et l'employaient pour prendre des notes et dans leur correspondance. Devant leur entêtement, Dufau réagit par une opposition ouverte et finalement une interdiction.

L'aide arrive souvent de manière inattendue; celle-ci se présenta sous la forme du nouvel adjoint de Dufau, Joseph Guadet. Et dépit de son amitié pour l'autoritaire Dufau, Guadet était un homme qui jugeait des choses par lui-même. Il ne put ignorer ce qu'il constatait tous les jours: que les élèves étaient profon-

dément attachés au système Braille, qu'ils estimaient de loin le meilleur. Il voyait aussi à quelle vitesse ils travaillaient; le système Haüy, même avec les lettres de taille réduite, était en comparaison d'une exaspérante lenteur.

Guadet ne tarda pas à s'enthousiasmer pour le braille et décida de convaincre Dufau de ses mérites. Non, il n'isolerait pas les aveugles des autres personnes. Bien plus d'ouvrages pourraient être transcrits en braille que par le système Haüy. Quel meilleur accès aux lettres, aux sciences et à l'éducation que celui qui offrait, de loin, un plus grand nombre de livres, bien plus faciles à lire?

Une nouvelle école

Parmi les visiteurs célèbres qui franchirent à cette époque le seuil de l'institution, l'un d'eux eut une action déterminante sur son avenir: Alphonse de Lamartine. Le poète, depuis peu, siégeait à la Chambre des députés et, en 1838, avait fait un discours éloquent pour dénoncer les conditions abominables dans lesquelles vivaient les jeunes aveugles, rue Saint-Victor. Profondément émue par la description de Lamartine, la Chambre avait voté un budget spécial pour l'achat d'un terrain où serait construite une nouvelle école, boulevard des Invalides.

Le nouvel immeuble fut prêt en 1843. Ce ne fut pas sans d'étranges émotions mêlées que les pensionnaires de la rue Saint-Victor durent quitter le vieux bâtiment insalubre et délabré, leur foyer, pour certains, depuis tant d'années. Mais leur nouvelle école était propre, aérée, spacieuse; Louis Braille n'aurait peut-être jamais contracté la tuberculose s'il s'était trouvé d'emblée dans un environnement de cette qualité.

Approbation du système de Louis Braille

L'ouverture officielle des nouvelles installations eut lieu le 22 février 1844. La cérémonie rassemblait tout ce qu'il y avait de plus distingué en matière de public et de représentants du gouvernement. Ils ne savaient pas qu'ils allaient assister à un événement historique. Après avoir chanté en choeur les louanges de Valentin Haüy (sur une musique et des paroles de

«Hier, j'ai visité l'Institut royal pour les jeunes aveugles. Aucune description ne peut vous donner l'idée de ce local étroit, infect, ténébreux, de ces corridors coupés en deux pour former des loges qu'on appelle des ateliers ou des classes, de ces escaliers tortueux, vermoulus, multipliés, qui, loin de paraître disposés pour des malheureux ne pouvant se guider que par leur tact, ressemblent, permettez-moi le mot, à un véritable défi lancé à la cécité de ces enfants.»

Alphonse de Lamartine, dans son discours du 14 mai 1838 devant l'Assemblée nationale

En 1843, l'Institut des jeunes aveugles inaugura de nouveaux bâtiments, plus spacieux, mieux aérés et propres, boulevard des Invalides à Paris. Des jardins, on apercevait le dôme des Invalides. Louis passa les huit dernières années de sa vie dans ces nouveaux bâtiments, mais il était trop tard pour qu'il recouvre la santé.

Dufau et Gauthier), les élèves récitèrent des poèmes et firent de la musique instrumentale. Puis Joseph Guadet commença son discours.

A la grande stupéfaction de Braille, il annonça que Dufau allait procéder à une description de son système de points. Ce dernier expliqua quels avaient été les problèmes soulevés par le sonographe du capitaine Barbier, et les énormes avantages du procédé de Braille. Il rendit un hommage vibrant au jeune inventeur présent dans la salle. En termes explicites, Dufau avait obligé l'opinion publique, à travers ce parterre de choix, à entendre parler du braille; une brochure accompagnait ce discours. Ce n'était rien moins qu'une reconnaissance officielle du système des points interdit!

L'opiniâtreté des jeunes aveugles, leur enthousiasme pour ce procédé, avaient triomphé de cette ultime résistance. Après vingt ans de combat, l'invention

de Louis Braille était officiellement admise et saluée.

Une fois ce discours terminé, Guadet fit procéder à quelques expériences devant le public stupéfait. Une jeune aveugle écrivit un poème dicté par une personne de l'assistance. Une autre jeune aveugle, absente de la salle pendant la dictée, entra ensuite et lut le poème à la perfection. On procéda de même avec une dictée musicale, qu'un élève sorti de la salle vint déchiffrer sans difficultés. Travail exécuté avec rapidité et facilité...

Dufau fait amende honorable

Dufau, finalement, avait eu le bon sens de se laisser convaincre par Guadet. Dans les années qui suivirent, il semble qu'il ait tout fait pour réparer ses torts, notamment en faisant tout son possible pour Louis Braille, dont l'état de santé continuait de s'aggraver.

«... le braille s'est imposé, non par un commerce d'influence, mais par une poussée interne, par l'enthousiasme des usagers qui en éprouvaient chaque jour la valeur, et par la reconnaissance — de la part des voyants responsables de l'éducation des aveugles — des progrès évidents que son adoption faisait accomplir à cette éducation.»

Pierre Henri,
La vie et l'oeuvre de Louis Braille

51

L'armée ouvre le feu sur une barricade pendant la Révolution de 1848. Au cours de cette période agitée, Louis Braille et ses amis, républicains convaincus, suivirent les événements avec passion. La formation intellectuelle qu'ils s'étaient donnée, grâce en particulier à l'alphabet en six points, leur permettait de comprendre et de commenter une actualité qui, en d'autres temps, les aurait laissés complètement indifférents.

Car, en dépit de la joie que l'inventeur éprouvait d'être dans ces nouveaux bâtiments, ses «petits procédés» enfin reconnus, les fatigues de l'enseignement se faisaient de nouveau sentir.

Au bout de quelques mois, Dufau le déchargea de toute obligation professionnelle à l'école, et se fit autoriser à le garder dans l'institution pour lui prodiguer les soins que nécessitait son état.

Braille consacrait son temps à écrire à ses anciens élèves, leur procurant (sur ses ressources personnelles) des livres et du matériel d'écriture braille; il leur demandait de copier des livres, travail pour lequel il les payait afin de pouvoir offrir ces livres à d'autres aveugles.

Ses amis nous rapportent de multiples gestes de générosité de la part de cet homme modeste et doux qui n'attendait même pas un remerciement. Il agissait ainsi parce qu'il estimait que c'était bien, non pour se faire remarquer. Il alla même jusqu'à abandonner un poste d'organiste dans l'une des églises de Paris au profit d'un de ses collègues qui avait besoin de travail.

Trois années de bonheur

Louis survécut à l'attaque de tuberculose de cette année, et le long repos qu'il avait pris semblait faire de l'effet. En 1847, le Dr Allibert l'estima en mesure d'enseigner de nouveau, et Dufau donna son autorisation. Ce fut une grande joie de retrouver l'enseignement. Même s'il était vite essoufflé, toujours un peu faible, ce furent trois années de bonheur pour lui; il faisait ses leçons avec entrain et imagination, continuait de s'intéresser au développement du braille pour la notation musicale, et faisait de courtes visites à sa famille, à Coupvray.

Des 1847, on essaya de nouvelles méthodes d'impression adaptées au braille. Dans tous les domaines de l'enseignement, le braille commençait à montrer ses incomparables qualités, tant ceux qui l'utilisaient faisaient d'extraordinaires progrès.

«Malgré l'accident qui à quatre ans le rend aveugle, malgré les luttes qu'il doit soutenir pour imposer son système, malgré la maladie qui, sournoisement, travaille son corps, il ne s'aigrit pas, il ne désespère pas, il reste bon, charitable, aimant, fidèle à ses amis comme à son idéal.»

Jean Roblin,
Les doigts qui lisent, la vie de Louis Braille

Les dernières années de Louis Braille

En 1850, Braille sentit que ses forces l'abandonnaient définitivement. Il demanda à être déchargé de son enseignement. Le directeur lui offrit de rester à l'institution, où il n'aurait à donner que quelques rares leçons de piano.

En décembre 1851, Louis Braille comprit qu'il était mourant. Il n'avait que quarante-trois ans. Coltat rapporte une importante hémorragie interne dans la nuit du 4 décembre.

Pendant que Braille gisait, mourant, on élevait des barricades dans les rues de Paris et des coups de feu partaient sur les boulevards; Louis-Napoléon Bonaparte venait de faire le coup d'état qui renversait la république.

D'autres hémorragies suivirent, confinant Braille au lit pour le peu qui lui restait à vivre. A la manière calme, méthodique et réfléchie dont il avait toujours conduit son existence, il mit ses affaires en ordre, prenant des dispositions financières en faveur de sa mère et des enfants de ses frère et soeurs. Il laissa les quelques biens qu'il possédait à l'Institut à Coltat, lequel les distribua comme souvenirs aux élèves de Braille.

Louis mourut le 6 janvier 1852, deux jours après son quarante-troisième anniversaire, pleuré non seule-

«Louis Braille fut l'apôtre de la lumière. Si la postérité a surtout retenu l'oeuvre d'un extraordinaire chercheur, persévérant et méthodique, dont la force de concentration tenait du prodige, il faut reconnaître qu'il n'avait pas seulement un esprit d'inventeur, mais aussi une âme de saint.»

Jean Roblin,
Les doigts qui lisent...

ment par ses proches, ses amis et tous ceux qui avaient approché et aimé cet homme honnête, intelligent et affable pendant des années, mais aussi par tous ceux qu'avait influencés et aidés son enseignement, dispensé avec tant de générosité et d'attention.

On enterra Louis Braille à Coupvray. Sa dépouille mortelle refit à l'envers le chemin qu'il avait parcouru trente-deux ans auparavant, lorsqu'il avait rejoint l'institution qui allait devenir le centre de son existence.

Mais la reconnaissance de ses travaux restait encore à venir. Au cours des trois décennies qui suivirent, il devint en effet mondialement connu comme le grand bienfaiteur de tous les aveugles, l'homme qui avait ouvert la voie vers une nouvelle vie pour des millions de personnes, enfin en mesure de lire, d'écrire, de communiquer, d'apprendre et de créer, et de prendre une juste place dans la société comme êtres humains éduqués et cultivés.

Le braille déborde les frontières

Deux ans plus tard, en 1854, le braille fut formellement accepté en France comme système officiel d'écriture et de lecture pour les aveugles.

Puis il commença sa carrière à l'étranger. Ce fut un processus lent, car il fallait convaincre les professeurs de renoncer à leur credo: la nécessité d'avoir pour les aveugles un alphabet calqué sur celui des personnes dotées de la vue. On commença d'enseigner le braille, dans les années 1850, en Suisse francophone; en 1860, l'école des aveugles de Lausanne imprimait le premier livre en braille hors de France. Les pays germanophones, en revanche, mirent quarante ans à adopter le système en six points.

En Angleterre, le processus fut particulièrement lent. Il existait tellement de systèmes divers: on en comptait une vingtaine essayés tour à tour dans les années qui avaient suivi les premiers travaux de Braille. A quelques exceptions près, ils se fondaient tous sur le procédé des lettres en relief de Haüy.

Le braille se trouva néanmoins un champion, le Dr Thomas Armitage, fondateur d'une association pour la promotion et l'éducation des aveugles, que consternait beaucoup le grand désordre qui régnait dans les différentes méthodes de lecture et d'impression. Quel que

fût le système que maîtrisait un aveugle, il ne pouvait travailler que dans le cadre de ce système, et les livres produits dans un autre lui restaient inaccessibles. En outre, il s'agissait de systèmes passifs, puisqu'on ne pouvait écrire en les employant.

Le Dr Armitage se donna pour but d'unifier ces systèmes et de n'en retenir qu'un qui serait employé par toutes les écoles; il estimait en outre que les aveugles, et eux seuls, étaient qualifiés pour décider lequel était le meilleur. Il forma un comité constitué uniquement d'aveugles, comité ayant pour charge de déterminer, parmi toutes les méthodes possibles, laquelle leur paraissait la plus efficace. Il choisit le braille. En 1883, la grande majorité des écoles pour aveugles anglaises l'avait adopté.

Reconnaissance internationale

Une étape importante fut franchie en 1878. Un congrès international des nations européennes (comprenant la France, la Suisse, la Belgique, la Grande-Bretagne, l'Autriche, la Hongrie, le Danemark, l'Allemagne, la Hollande, l'Italie, et la Suède) se tint à

A gauche: la montre de Louis Braille. On pouvait soulever le verre pour toucher les aiguilles.

Ci-dessus: montre braille, utilisant le code à six points.

A la suite de la reconnais-sance mondiale du braille, en 1878, les inventeurs de différents pays proposèrent des machines pour écrire en braille.
Ci-dessous: Deux jeunes aveugles étudiant un globe terrestre en braille.

Paris. Son but était d'évaluer les divers procédés d'impression et d'écriture pour adopter un système mondial unique. A une grande majorité, le congrès vota en faveur du braille.

A ce moment-là, seuls les Etats-Unis, parmi les pays de langues européennes, continuaient d'employer de multiples systèmes, des lettres en relief aux premières versions de braille, plus ou moins modifiées. Il fallut attendre encore quarante ans pour que le braille véritable et définitif fasse la conquête de ce pays!

En 1929, fut adoptée une notation musicale internationale qui aurait ravi Louis Braille, lui qui avait passé tant d'années à améliorer ses premiers essais dans ce domaine.

En 1932, c'est une forme révisée du braille, adaptée à l'anglais, qui est adoptée par les délégués de près de cent nations. Il devenait dès lors possible, pour n'importe quelle personne aveugle anglophone, de lire et de communiquer en braille dans cette langue.

De nos jours, les «petits procédés» de Louis Braille ont été adaptés aux dialectes indiens, à l'arabe, au chinois, au japonais, au vietnamien et à un certain nombre de langues africaines.

Le braille et la technologie moderne

Lorsque le premier livre jamais imprimé en braille sortit des presses de l'Institut des aveugles de Paris (abrégé d'histoire de France paru en 1837), ce fut avec un seul modèle de lettre à six points. Elèves et professeurs avaient taillé eux-mêmes les points inutilisés pour chaque lettre, avant de les assembler en mots.

Les livres ainsi produits étaient gros et épais, constitués de pages collées dos à dos, les points en relief dépassant comme dans les livres en relief de Valentin Haüy. C'est dire que le passage du manuscrit à l'imprimé était un travail long et laborieux. Mais dès 1849, diverses expériences d'impression en relief étaient poursuivies, à l'aide de pages métalliques contenant tous les symboles d'une page.

Il est aujourd'hui possible d'utiliser les deux côtés d'une même page, grâce à un système de décalage de lignes entre le recto et le verso, de manière à ce que les points ne coïncident pas.

Autre progrès important, l'invention d'une machine à écrire le braille par l'américain Frank Hall. Cet appareil comportait six clefs (une par point) qui opéraient de telle manière qu'une seule pression suffisait à former tous les points d'une lettre donnée. Quand on écrit le braille à la main, il est difficile d'atteindre une vitesse de cinquante à soixante lettres à la minute; mais avec la machine, on peut doubler cette vitesse, avec beaucoup moins de fatigue. Des progrès similaires furent accomplis en imprimerie, dans les machines à composer en braille; des modèles de ces appareils figurèrent à l'exposition de Chicago, en 1893.

Le braille à l'âge de l'ordinateur

Dans un effort pour gagner de la place et augmenter la vitesse à laquelle il est possible d'écrire et de lire le braille, une grande quantité d'abréviations ont été adoptées, pour les termes les plus courants, en plus de l'alphabet.

Mais la transcription d'un livre en braille avait jusqu'ici toujours nécessité l'intervention d'une personne dotée de la vue et connaissant le braille. Vers la fin des années cinquante, un système d'impression assistée par ordinateur vit le jour aux Etats-Unis. Pour la première fois, une personne ne connaissant pas le braille pouvait transcrire un texte; à l'aide d'un clavier ordinaire de machine à écrire, on saisit le texte sur écran, texte que l'ordinateur est programmé pour transcrire en caractères braille. Ce système bénéficie à l'heure actuelle de tous les progrès accomplis dans les machines à traitement de texte, ce qui augmente de manière spectaculaire la vitesse et la précision avec laquelle on peut transcrire, corriger et préparer un texte avant de l'envoyer en impression en braille.

Plus récemment encore, ont été utilisés des ordinateurs capables de «lire» un texte imprimé ordinaire pour l'envoyer dans un programme d'impression en braille, et cela quatre fois plus vite que ne le ferait la dactylo la plus expérimentée et sans la moindre faute de frappe.

Le développement des ordinateurs personnels a ouvert de fabuleuses possibilités, parmi lesquelles des programmes qui permettent à un aveugle d'écrire et de corriger un texte en braille, à l'aide d'un clavier braille

Le système moon, mis au point par le Dr William Moon. Seul système en compétition avec le braille ayant survécu jusqu'à nos jours; il est surtout utilisé par les personnes ayant perdu la vue à l'âge adulte et déjà habituées à l'alphabet ordinaire, qui trouvent plus facile d'utiliser l'alphabet simplifié de Moon que de repartir à zéro avec le braille.

«Aujourd'hui, les meilleurs livres des auteurs contemporains — aussi bien que les journaux et les magazines — sont publiés en braille dans la plupart des pays du monde. Rien qu'en Grande-Bretagne, on imprime chaque année 50 000 livres et un demi-million de périodiques.»

Norman Wymer,
The Inventors

Ci-dessus: un Sud-Africain lisant une bible en braille.

A droite: on explique à une petite Nigérienne aveugle le maniement d'un mètre de couturière gradué en braille. D'après un rapport datant de 1987, il y aurait qua-rante-deux millions d'aveu-gles dans le monde. Le braille peut être adapté à toutes les langues utilisant l'alphabet romain, pourvu qu'elles n'aient pas plus d'un accent par lettre. On peut aussi l'utiliser dans la plupart des alphabets non romains. Il existe à l'heure actuelle pour plus de cin-quante langues et dialectes.

et d'un «écran» braille; après quoi on peut en tirer des copies soit en braille, soit en caractères ordinaires.

L'un des grands hommes de la France

Cent ans après la mort de Louis Braille, la merveil-leuse invention d'un garçon de quatorze ans, le sys-tème en six points, fut reconnue comme ayant une portée mondiale — ce que les aveugles avaient com-pris depuis longtemps. En juin 1952, les représentants de quarante nations vinrent rendre hommage à Louis Braille, sur sa tombe de Coupvray, avant d'accompa-gner ses cendres jusqu'au Panthéon, où elles reposent maintenant parmi les gloires de l'histoire de France.

Une chose est certaine: enterré à Coupvray ou au Panthéon, le nom de Louis Braille n'a guère de chance d'être oublié. Tant qu'il y aura des personnes privées de la vue qui se serviront des «petits procédés» pour accé-der à l'héritage culturel de l'humanité et vivre sur un pied d'égalité avec celles ayant le don de la vue, aussi éduquées et indépendantes que Louis Braille l'avait rêvé, son nom ne sera pas oublié.

A gauche: apprentissage sur une machine à écrire en braille dans une école pour aveugles. Il existe des machines tapant en braille, d'autres en caractères normaux. La vitesse n'est plus un problème. A la main, un aveugle écrivant en braille peut rédiger une dizaine de mots à la minute; à la machine à six touches, il peut doubler cette vitesse. Un lecteur expérimenté de braille peut déchiffrer jusqu'à une centaine de mots à la minute.

A gauche: cartes à jouer en braille; les chiffres sont rédigés selon le code de six points.

Repères chronologiques

1771	Septembre: Vantin Haüy voit railler et conspuer des aveugles lors d'une foire. Il décide d'ouvrir une école pour leur venir en aide.
1784	L'Institut des Jeunes Aveugles fondé par Haüy, est ouvert à Paris.
1786	Un groupe d'enfants aveugles de l'Institut donne une démonstraation digitale à Versailles. Louis XVI apporte son soutien à l'école.
1789	Révolution française: Haüy perd son poste de directeur de l'Institut.
1800	Sur ordre de Napoléon, les aveugles sont confiés à un asile pour personnes handicapées.
1806	Haüy fuit l'Empire avec l'un de ses étudiants, Rémy Fournier. Ils ouvrent une école en Prusse.
1807	Devant l'avance des armées de Napoléon, Haüy et Fournier s'exilent de nouveau, en Russie cette fois, et fondent une nouvelle école pour les aveugles.
1809	4 janvier: Louis Braille naît à Coupvray, en Ile de France.
1812	Pendant l'été, Louis perd accidentellement un oeil.
1813	Il perd peu à peu complètement la vue.
1814	Ocupation de Coupvray par les troupes russes. Début des travaux du capitaine Barbier sur son système d'écriture de nuit.
1815	Jacques Paluy devient curé de Coupvray et commence l'instruction de Louis. Réouverture de l'Institut des Jeunes Aveugles de Paris.
1816	Louis Braille est accueilli à l'école de Coupvray.
1819	Agé de dix ans, Louis Braille part pour l'école fondée par Haüy à Paris.
1821	Barbier fait la démonstration de son «écriture de nuit» à l'Institut. Les élèves sont conquis. Un nouveau directeur, le Dr Pignier, est désigné.
1824	Au bout de deux ans de recherche, Louis achève son premier alphabet de points en relief, basé sur le procédé de Barbier. Il n'a que quinze ans.
1825	Braille apprend le piano et fait preuve d'un grand talent musical.
1827	Transcription en braille d'un livre de grammaire française.
1828	Braille est nommé professeur adjoint à l'Institut et adapte son système à la notation musicale. Une commission médicale condamne les bâtiments de l'Institut pour insalubrité.
1829	Braille publie un opuscule expliquant son système à six points.
1833	Louis Braille devient titulaire d'un orgue dans l'église voisine de l'Institut. Il continuera à travailler comme organiste pendant tout le reste de sa vie.
1834	Les responsables de l'Institut refusent de permettre aux élèves l'emploi de l'alphabet braille. Braille fait une démonstration de son procédé à l'Exposition industrielle de Paris.
1835	Premiers symptômes de la tuberculose de Braille.
1837	Le premier livre en braille est écrit et imprimé à l'Institut par les professuers aveugles et les élèves.
1838	14 mai: Lamartine dénonce les conditions d'insalubrité de l'Institut à l'Assemblée nationale; un budget de 1.600.000 francs est voté pour un nouveau bâtiment.

1839	Braille, aidé par des voyants, travaille à une machine à imprimer le braille. Il met aussi au point la raphigraphie, système de points en relief en forme de lettres.
1840	On oblige le Dr Pignie, directeur de l'Institut, à démissionner. Son adjoint, Dufau, le remplace et détruit tous les livres anciens destinés aux aveugles. Il tente d'inposer de nouveaux systèmes de lecture. Guadet devient son adjoint.
1841	François-Pierre Foucault met au point la machine à taper en raphigraphie.
1843	L'état de santé de Braille s'aggrave. Il va se reposer six mois à Coupvray. Novembre: la construction du nouvel institut est terminée, l'école déménage.
1844	22 février: inauguration officielle de l'école, au cours de laquelle les élèves font une démonstration éclatante du procédé braille.
1847	Foucault, en collaboration avec Braille, met au point une machine à écrire en braille.
1848	La maladie de Braille s'aggrave encore; il ne peut plus donner que quelques leçons de musique.
1851	Braille admis à l'hôpital de l'Institut.
1852	2 janvier: mort de Louis Braille, à l'âge de quarante-trois ans. Il est enterré à Coupvray.
1854	Le braille est officiellement adopté comme écriture pour les aveugles en France.
1878	Un congrès international choisit le procédé braille comme le meilleur système à faire adopter partout dans le monde.
1917	Le braille est accepté aux Etats-Unis.
1929	Adoption internationale de la notation musicale en braille.
1949	L'Inde demande à l'UNESCO d'adopter le braille à toutes les écritures. On peut maintenant écrire plus de 200 langues et dialectes en braille.
1952	Les cendres de Louis Braille sont transférées au Panthéon.

Bibliographie

J. Roblin, *Les doigts qui lisent, vie de Louis Braille,* Regain, Monte-Carlo, 1951

P. Henri, *La vie et l'oeuvre de Louis Braille*, PUF, 1952

Cl. Mackenzie, *L'Ecriture braille dans le monde*, UNESCO, 1954

Glossaire

Abdication: Acte par lequel un roi ou un empereur renonce à son trône.

Antibiotique: Substance chimique comme la pénicilline, capable de détruire les micro-organismes à l'origine des maladies infectieuses.

Alène: Outil de cordonnier à pointe biseautée, destiné à pratiquer des trous dans le cuir, notamment.

Asile: Etymologiquement, lieu où l'on peut se réfugier en sécurité; devenu l'endroit où l'on parque les personnes dont on veut protéger la société. Les asiles où l'on entassait les fous, les handicapés et les laissés pour compte de la société ont longtemps été de véritables prisons dans lesquelles régnaient d'effroyables conditions d'hygiène.

Barricades: Symboles des mouvements insurrectionnels et révolutionnaires en France pendant tout le dix-neuvième siècle.

Bavière: Cette province actuelle de l'Allemagne de l'Ouest était un royaume indépendant au temps de Louis Braille.

Billet: Pour loger les troupes en campagne, on donnait aux soldats et aux officiers des billets de logement chez les habitants, ainsi obligés de les héberger. Cette coutume honnie ne persiste plus guère que dans l'expression «coucher dehors avec un billet de logement».

Dominos: ce jeu, devenu très populaire pendant l'enfance de Louis Braille, avait l'avantage de pouvoir être joué par les aveugles, grâce aux reliefs en creux des pièces dont il est composé.

Institut national des Jeunes Aveugles: L'institut fondé fondé du temps de Braille fonctionne toujours à l'heure actuelle dans les mêmes bâtiments du 56 boulevard des Invalides à Paris.

Intercalage des lignes: Système par lequel les lignes de points de l'écriture d'une page sont décalées du recto au verso d'une page de manière à ne pas se superposer.

Pénicilline: Médicament à base d'un champignon microscopique capable de traiter une grande variété d'affection et qui aurait pu sauver la vie de Louis Braille.

Prusse: Ce royaume, dont les frontières recouvraient en partie ce qui est aujourd'hui l'Allemagne de l'Est et la Pologne, était le pays dominant de la fédération allemande. En 1871, le roi de Prusse devint empereur d'Allemagne.

Raphigraphie: Nom donné par Braille lui-même à sa méthode permettant aux aveugles d'écrire des lettres que les personnes voyantes pouvaient lire. Une machine pour imprimer ces lettres en relief fut mise au point par François-Pierre Foucault en 1841.

Selliers: Souvent appelés aussi bourreliers-selliers, ces artisans jouaient un rôle éminent à l'époque de la traction animale, puisqu'ils fabricaient tout ce qui était selle, harnais, etc. destiné en particulier aux chevaux, mulets et autres animaux de bât ou de trait.

Sonographie: Procédé d'écriture «nocturne» ou «de nuit» mis au point par le capitaine d'artillerie Charles Barbier, pour une utilisation militaire. C'est lui qui a servi de source d'inspiration à Louis Braille dans l'invention de son alphabet. Le système de Barbier n'a en fait connu aucun succès dans l'armée.

Stylet: Autrefois poignard à lame très fine; instrument pointu destiné à graver sur cire ou sur métal, et dont Braille se servait pour percer les points sur le papier.

Tuberculose: Maladie infectieuse d'origine microbienne qui s'attaque essentiellement aux poumons. Les germes de la tuberculose se multiplient dans les endroits sales, humides et insalubres; étant donné l'état sanitaire déplorable de l'Institut pour les Jeunes Aveugles, à l'époque où Louis Braille y entra, on peut légitimement supposer que c'est là qu'il a contracté cette maladie qu'à l'époque, on ne savait pas guérir.

Comment aider les aveugles

- Si vous rencontrez un aveugle dans la rue qui semble avoir besoin d'aide, proposez-lui la vôtre. S'il l'accepte (par exemple pour traverser une rue), guidez-le en le prenant par le bras, le principe étant qu'il vous suive et non qu'il vous précède.

- En marchant au bras d'un aveugle, prévoyez les obstacles qui se présentent et avertissez-le.

- Arrêtez-vous au bas et en haut d'un escalier ou de marches et dites que vous vous apprêtez à descendre, à monter ou à retrouver une zone normale. S'il existe une rampe (mobile dans les escalators) posez la main de l'aveugle dessus.

- Aidez-les à s'asseoir en mettant sa main sur le dos de la chaise, et laissez-les faire le reste. Ne les poussez pas dans un siège qu'ils n'ont pas inspecté.

- Si vous devez marcher en file indienne, indiquez-le clairement par la position de votre bras.

- Ne laissez pas de choses dangereuses sur leur chemin. Veillez à ce que la haie de votre jardin ne dépasse pas sur la rue, à ce que votre bicyclette ne soit pas abandonnée au milieu du trottoir, à ce que vos peaux de bananes aillent directement à la poubelle.

- Lorsque vous saluez une personne aveugle, précisez votre identité au cas où elle n'aurait pas reconnu votre voix. Avertissez-la de votre départ, pour ne pas lui donner l'embarras de s'adresser au vide.

- Si vous rendez visite à une personne aveugle, surtout ne déplacez aucun objet: il pourrait lui falloir des heures pour le retrouver.

- Essayer de vous livrer à une activité quotidiennes comme manger, vous préparer une boisson, chercher un objet, sans vous servir de vos yeux.

- Prenez contact avec les associations locales de volontaires et offrez vos services pour rendre visite aux aveugles âgés, faire leurs courses, les accompagner en promenade, leur faire la lecture.

- N'oubliez pas qu'un aveugle est une personne à part entière qui a simplement perdu la vue, et traitez-la comme quiconque, sauf dans ces moments où elle a besoin d'un léger coup de main, comme vous souhaiteriez qu'on le fasse pour vous dans les mêmes conditions.

Adresses utiles

Institut national des Jeunes Aveugles, 56 Boulevard des Invalides, Paris 7ᵉ (Tél. 45 67 35 08).
Association Valentin Haüy, 5 avenue Duroc, Paris 7ᵉ (Tél. 47 34 07 90).

Index